自然死への歩み②

コロナ禍での生き方

木暮信一

東京図書出版

自然死への歩み②――コロナ禍での生き方（２０２０年１月１日〜８月31日）

２０２０年１月１日㈬

令和２年のスタートである。「新年勤行会」へは参加せず、ニューイヤー駅伝を観戦しながら取り寄せ「お節」をいただくかと思っていたところ、身体がぞくぞくして熱っぽいので、風邪だと自己診断し、葛根湯を飲んで臥せってしまった。大晦日のハードワークによる疲れが出たのかもしれない。夕方に栄一が来たが、風邪をうつさないように今晩は無理しないことにした。明日には孫も含めて家族がそろうので、とにかく休むことに徹した。元旦がこうだと、今年１年への意気込みがくじけそうになる。

2020年1月2日㈭

朝7時に起きることができた。昨日はほとんど何も食べなかったので、早速お雑煮を自分でつくっていただくことにした。今日・明日は恒例の箱根駅伝である。しかも創価大学が出るのでTV観戦しながらの応援である。驚いたことに、午前8時のスタートで、1区の米満選手がトップグループに入り続け、区間賞を獲得する快走であった。大したものである。胸の「創価大学」の名前が画面に映り続け、全国の関係者を大いに勇気づけたことだろう。そのまま10位以内でタスキを渡し続け、芦ノ湖の往路ゴールに7位で飛び込んだ！　2回目の出場ながら、今度はシード権を獲得できるのではないかと明日の復路に期待が膨らんだ。

お昼過ぎに健司一家が到着、少し遅れて栄一一家もそろった。環（6歳）・日希（4歳）・佑（2歳）と孫が3人だから、狭いリビングを動き回り、賑やかなことこの上ない。もう少し広い家ならばいいのに、と正月になると思ってしまう。栄一や健司と話し込みながら、来年こそはセカンド・ハウスで新年会をやりたいものだと、ハイボールの勢いを借りて言ったようである。飲み過ぎてちょっとした躓きで倒れたようで、記憶がはっきりしないが、照美が後から教えてくれた。楽しいからといって調子に乗り過ぎてはいけない。

夜中に起きても少しフラフラしたので、よほど飲んだのかもしれない。

敦子から「アケオメ」のメールもなく、新年に家族がそろわないことは淋しいかぎりである。富岡の方はどうなっているのだろう。義弟のOT君から年賀状が届き、同じような扱いを受けているようである。やるせない思いをどこにぶつけたらいいか？　それとも腹の中に呑み込んでじっと仮面うつ病みたいになってしまうのか？

2020年1月3日㈮

快挙である。箱根駅伝で創価大学が総合9位に入り、明年のシード権を獲得した。復路のスタート時は7位であったが、次第に遅れ始め9区でシード権外の11位となってしまった。ところが最終10区のアンカー・嶋津君が最初から圧巻の走りを見せ、何と区間新記録を樹立して9位でゴールしたのである。1区の米満君（4年生）が区間賞を取り、10区の嶋津君（2年生）が区間新記録とはすばらしいことである。青山学院大が総合優勝を果たしたが、それ以上にマスコミも創価大学の奮闘を取り上げていた。近未来に創価大学が箱根駅伝で総合優勝を果たす時代が来るかもしれない。いままで創価大学は司法試験合格者数や教員採用試験合格者数で目立ってきたが、これからはアスリートの活躍を含めて文武両道でその名を馳せていくだろう。それこそ「建学の精神」である「人間教育の最高学府たれ」「新しき大文化建設の揺籃たれ」「人類の平和を守るフォートレスたれ」を胸に刻んだ人材が世界を舞台に活躍する時代の到来である。

2020年1月5日(日)

昨晩は「李朝園」で菊花グループのA・YT・IHさんと新年会であった。RBさんの計らいで、最高級の焼肉料理をたっぷりと堪能することができた。吉祥寺駅北口の一等地にあって、その旨さが多分クチコミで広がっているのであろう、長蛇の列ができるほどの人気ぶりである。オーナーのRBさんの名前で予約されてあったので、3時間近くよく食べてよく飲んでよく話をすることができた。

みな悠々自適の人生を送りながら、学会活動を通じて地域貢献しているとのこと。Aさんは創価大学の数学の非常勤講師として活躍していて、理工学部の学生もずいぶんとお世話になっていることがわかった。全く知らなかったが、デュッセルドルフで日本語教師として働いている木暮研出身者のMNさんも在学時代に相談にのってもらったようである。休学―復学を繰り返していた時期があって、わたしも心配していたが、ある時から吹っ切れたように卒業に向けて頑張りだしたことがあった。どうやらAさんの温かくも誠実な励ましがきっかけだったようである。

菊花グループについては第1巻でも記したが、幹事であった岩木さんをはじめとして、わたしにとっては青春時代にその後の一生を決定づけた人材グループであった。人との出会いは大変に貴重なものであり、そうした縁に恵まれたことを40年以上経っても再認識するのである。

本日で長かった年末年始の9連休も終了で、明日から世の中は仕事始めである。2020オリンピック・イヤーの開幕だからマスコミは意気込んでいるが、先行きどうなるかわからない不透明さもある。そこへ「第三次世界大戦か？」という物騒なニュースが飛び込んできた。イラク・バクダッドに来ていたイランの軍事司令官が、トランプ大統領の命令によるミサイル攻撃を受け即死したというのである。「テロリストだから」と一方的に説明するも、アメリカの傲慢な姿勢が見え見えである。イラン側は「喪が明けたら相応の報復を！」と激戦を覚悟する声明を出している。喪が明けるまで40日間が想定されるので、2月上旬から暗雲が漂い始めるかもしれないと中東の専門家が言っている。アメリカそしてイランと友好を結んできたわが国の仲裁役を期待する声が高い。安倍外交がどのように発揮されるか見ものである。「絶対平和主義」を掲げる公明党も、山口代表を先頭に「戦争の拡大、憎悪の連鎖は多くの犠牲者を出し、新たな難民を生むばかりである」と強く主張していってもらいたいものである。

2020年1月8日㈬

専門家が予測したよりずっと早く、イランから米軍・有志連合駐留基地へミサイルが撃ち込まれた。死傷者や被害の状況は現時点では報じられていない。「報復には報復を」とトランプ大統領が言っていたので、すぐにでも米軍の攻撃が実行されるかもしれない。軍事力を誇示する米軍の方から攻撃を止めることは考えられない。したがって、イランの方が止めるまで報復の連鎖は続くものと思われる。米軍の攻撃から始まり、イランの報復が止むまで攻撃を続けるとは何と理不尽なことだろう。国連の安保理も通っていない今回の軍事行動は、有志連合の隠れ蓑をつけているものの、米軍の傍若無人さを露わにする以外の何ものでもない。今回の発端はイランが核拡散防止条約から離脱し、ウラン濃縮を推進するという宣言にあったらしい。この辺の事情については詳細を調べてみよう。

米軍の報復かと考えていたところ、イラン側からの第2派の攻撃である。今回は多数の死者も出ているらしい。イスラエルも緊急態勢を整えているとのことなので、戦闘の激化や拡大が予想される。

2020年1月12日(日)

昨日から3連休。どうやら今年は暖冬らしい。北海道や日本海側では吹雪などが報じられているが、積雪量が少ないらしく、スキー場が営業中止になったり、札幌雪祭りの雪像づくりが大変になったりしているらしい。わたしにとってはこの暖冬でも両脚痛が酷いので、木暮温泉につかってはPCでの著作活動である。気分転換の必要性を感じていて、2月の確定申告が終了したら年金暮らしにも先行きが見えてくるので、越後湯沢あたりにセカンド・ハウスを真面目に考えてみようと思っている。

中東状況は平静化へ向かっているらしい。ウクライナ旅客機が攻撃されて乗客・乗員176名が犠牲になる事件が起きたが、イランがミサイルの誤射を認めたので、落ち着く模様である。アメリカのミサイル攻撃によるイランの軍事司令官の即死で始まった一連の報復合戦は、全く関係ない176名の民間人の死をもって幕が引かれそうである。安倍総理が昨日中東歴訪へ旅立った。サウジアラビア・UAE・オマーンを巡り、どのような平和外交を展開するのか。肝心なイランへは立ち寄らないのか。秋には退陣が噂されているので、日韓問題・拉致問題・辺野古問題などを含めて、消費増税しただけだと評価されないように、アッと驚くような成果を持ち帰ってもらいたいと切に祈る。

2020年1月13日(月)

「成人の日」である。各地で成人式が行われ、その模様が夕方のニュース番組で報道されるだろう。例年の恒例行事であるが、自由な成人式、荒れた成人式などなど、令和になって初の成人式だから注目を浴びること間違いなしである。

朝のNHK番組「インタビューここから」で、久しぶりに山中伸弥教授を見た。iPS細胞を作製して2012年にノーベル生理学・医学賞を受賞した山中教授。第1巻でも少しふれたが、再生医療の成功例が今か今かと期待され続けているが、もう8年も経過したことになる。2013年に安倍内閣の下村博文文科相はiPS細胞研究に対して今後10年で1100億円規模の長期的な支援を行う意向を表明した。毎年100億円規模の研究助成である。ところが昨年11月、この大型予算を2022年で打ち切るというニュースが流れた。その決定や理由については詳しくわからないが、具体的な成果に結びついていないことがその一つではないかと推測される。

そうした背景があってか、わたしにはインタビューを受ける山中教授の表情に何か悲壮感のようなものを感じてしまった。それとは別に、番組では山中教授が30代のとき留学したカリフォルニア大学・サンフランシスコ校・グラッドストーン研究所で、今も人生のモットーとなっている言葉「ビジョン&ワークハード」に出会ったことが紹介されていた。当時の所長が若手研究者を集めて成功の秘けつをその言葉に託したそうである。山中教授は今もそれをモットーにしながら「目標を定め、それを追求し続ける」ことを若手研究者に強調しているという。彼特有のはにかんだ笑顔ではなく、眉間にしわが寄っているように思えたが。

わたしは第1巻で『潮』への随筆「科学者の顔」を掲載したが、「科学することが楽しい」と豪快に笑い飛ばす科学者が少なくなったと感じている。アインシュタインの舌を出しておどけてみせる写真のような科学者が多くなってほしいと念願するのである。そのためには金本主義に走らないでもらいたい。お金がなくても、時間があれば研究できるのであるから。時間主義的幸福論へパラダイム・シフトが起これば、お金や富を求めて争うことや科学的新発見を求めて競うことが馬鹿馬鹿しくなり、豊かな自然と豊かな人間の心が取り戻せるのではないかと考える。

2020年1月16日㈭

オーストラリアの森林火災がなかなか鎮火せず、むしろ広がっているようである。すでに発生して4カ月、焼失面積にして東北と関東地方の面積に匹敵するという。例年この季節に火災が発生するらしいが、今年はやはり地球温暖化による気候変動を原因として考えざるを得ないと専門家が言っている。コアラやワラビー・カンガルーなど愛らしい生き物たちも絶滅するのではないかと危惧されている。消火活動のため自衛隊機が2機派遣された。TV画像を見ながら昨年のわが国における水害が思い出され、火災と水災という地球規模での不調和が現出されていると感じた。自然は調和を保っているわけだから、そうした不調和はやはり人災などではないか。自然への畏敬の眼差しや思いをより深めなければならないと切実に思う。

明日は阪神淡路大震災から25年の日である。1995年1月17日、M7・3の大地震で、死者は6000人以上だったと記憶している。当時バンクーバーにいて、TV映像を見ながら信じられない気持ちであった。阪神高速道が分断され、支柱が倒壊した映像には本当にショックを受け、日本は本当に災害列島だと改めて認識した。いち早くカナダ政府が対応し、救助犬・救助隊を派遣する準備を始めたが、なぜか「混乱しているから受け入れできない」とのことだった。

２０１１年３月11日にはＭ９の東日本大震災が起こり、死者・不明者が１万９０００人以上。２０１６年４月16日にはＭ７・３の熊本地震が起こり、49人の死者が出た。「１００年に１度」「想定外」なることばが飛び交ったが、大地震だけでも25年間に３度の割合であるから８年に１度は起こる確率である。熊本地震から４年経つから、あと４年で大地震の発生があるかもしれない。昨年の台風被害や洪水被害を考えると、地震・津波・原発を含めて抜本的な対策（危機管理体制およびマニュアル・仮設住宅・災害後の再建計画など）が講じられているとはいえない状況である。２０２０東京オリンピック・パラリンピックやＩＲ問題で浮かれている場合ではないと思う。

2020年1月20日㈪

通常国会が開幕した。「桜を見る会」・「ＩＲにかかわる贈収賄」・「辞職議員の説明責任」など問題が山積しているが、安倍首相がそうした問題への説明責任を果たさないので、何をかいわんやである。それでも支持率が上昇するのであるから、開いた口がふさがらない。これほどまでに国民が馬鹿にされているのに、なぜわれわれは怒らないのだろうか？

怒りを含む情動に関連する脳の領域は大脳辺縁系に存在する。特に側頭葉内部の扁桃核といわれる場所がその発動に深くかかわっている。ネコの扁桃核へ刺入させた電極によって刺激すると怒りの表情やポスチャーが発現するが、通電をオフにすれば元に戻ってしまう。ネコの視野にマウスが入っても決して攻撃は起こらない。真の怒り情動は攻撃で収束するので、刺激による怒り情動の発現は「sham rage（偽の怒り）」といわれるゆえんである。したがって、真の怒り情動には前頭葉などの上位中枢も関係していると考えられている。一般的に大脳皮質は大脳辺縁系や脳幹に対して抑制的に機能しているといわれる。通常、情動の発現は大脳皮質から抑えられているが、飲酒などでその機能が低下したとき、笑い上戸になったり泣き上戸になったりするように情動があらわになってくる。

「怒らない」われわれの行動を脳科学的に考えると、一つ目は怒り衝動への刺激がまだ弱くタガが外れない、二つ目は大脳皮質による抑制がよほど強いレベルで条件づけされている、という可能性が考えられる。いずれにしても、あふれる情報の中にあって、「刺激の受容」と「応答の発動」ともに馴化が起こっているのだろう。それは、怒りを爆発させてストレスを解消させる方法とは別の、いわば「鈍感力」を増してストレスを無視する知恵なのかもしれない。

しかし、青年にその傾向が強くなれば、わが国は衰退の方向へ向かわざるを得ない。団塊の世代が何とか持ちこたえさせているが、もうすぐで彼らも後期高齢者となり支える力にも限界がくるだろう。そうなったとき「青年は荒野をめざす」ではなく、「青年は棄国する」かもしれない。ドイツのように若者の所得税をなくすなど、働きやすく暮らしやすい国が多いことも考えるべきである。私利私欲にまみれ、国や若者の将来を考えない政治屋には必ずしっぺ返しが待っていると確信する。

2020年1月23日㈭

昨日はモーニングショーで「海鮮粕漬け」という未体験の名物が紹介されていたので、思い立って福島県・いわき市まで行ってきた。ハリアーの乗り心地がよいとはいえ、往復500㎞はさすがに疲れ切ってしまった。わたしにもまだまだ無謀さが残っていることを再認識した。子どもたちには笑われてしまったが。自然解凍に2日ほどかかるので、土曜日にはその味を初体験できるだろう。楽しみである。

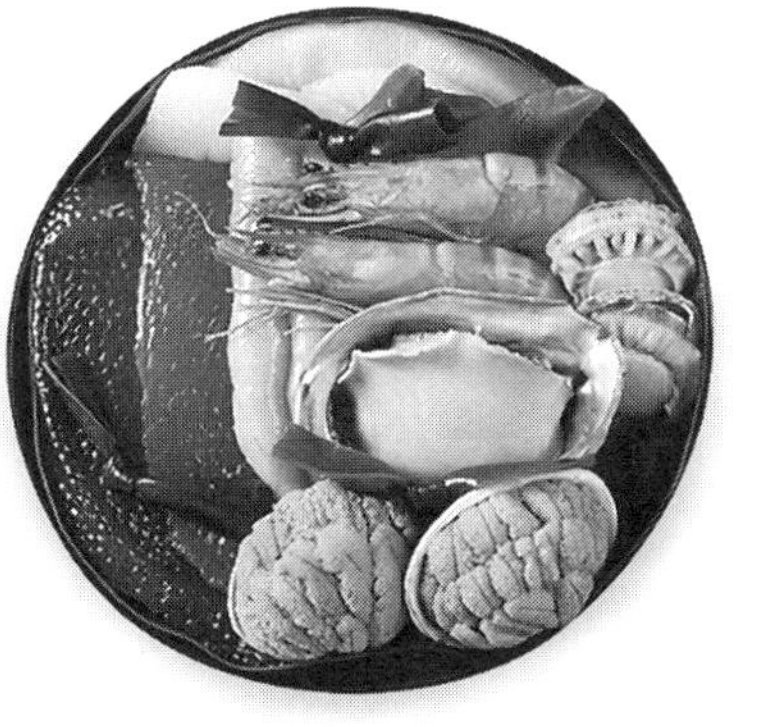

いわき市・大川魚店：特選いわき七浜漬

いわき市といえば福島原発にも近く、まだまだ東日本大震災からの完全復興には至っていないと大川魚店の人がいっていた。たしかに常磐道は行きも帰りもすいていて、運転するのには助かったが。もうじき9年が経過することになる。放射能汚染水は溜まる一方なのに、国会ではそれに関するまともな議論はなされず、「桜問題」・「ＩＲ問題」・「政治と金問題」に終始している。安倍総理も官僚が作文した答弁書を読み上げるばかりで、しかもその内容が的を射ていないので呆れるばかりである。国会は台本のある劇場なのか？小学校の学級委員会を見ているようで、わが国の民度の低さが露呈されている。そのうち国会もＡＩ化されれば、国民にストレスは溜まらず、歳費の軽減によって消費税廃止の時代が来るかもしれない。

今朝は久しぶりに脚が攣った。右脚だけでよかったが、2時間ほど苦闘した。激痛で締めつけられ、明け方なので子どもたちに「牛乳持ってきて」とも言えず、ひたすら耐えた。このところ攣る回数は減ってきているのだが、恥ずかしながら、実際その最中では「心不全での自然死が理想」などとは軽々にはいえない状態である。しかし、起床して1時間もすると「呑気な父さん」を自演していて、人知れず笑えてくる。

今朝のモーニングショーでは新型コロナウイルスによる新型肺炎が取り上げられた。中国の武漢市を中心に日本をはじめ、さまざまな国に感染者が広がりつつある。中国政府によると、患者は830人に増え、25人が死亡したと発表されている。SARS（Severe Acute Respiratory Syndrome）やMERS（Middle East Respiratory Syndrome）と比較すると肺炎の症状は軽く、重症化率も低いといわれる。しかし、この週末から春節であるから、帰省や旅行などの大移動によって感染が指数関数的に広がり、感染者・死亡者の数はSARSやMERSを超える可能性もある。武漢市はすでに封鎖され、諸外国も最大限の水際作戦を講じている。パンデミック（世界的な感染の流行）にならなければと祈るばかりである。

わが国でいうと、昨年の台風被害、洪水被害に次ぐ疫病被害ということになり、『立正安国論』の「三災」のそろい踏みになるかもしれない。TVに登場した専門家が「コロナウイルスが免疫力の低下した高齢者にぶち当たりやすい」といっていたが、〝ぶち当たる〟ということばにわたしは笑ってしまった。がん同様ウイルスも〝敵〟として扱われ、敵への応戦を強いられているようで、「自然への畏敬」「自然との共生」というコンセプトがさらさらないのだと思った。

「分子生物学」はさまざまな新発見をもたらし、新しい、しかしどちらかというと機械論的生命観に近い分子生物学的生命観をもたらした。しかし、それはより徹底した生物間、個体の中の組織間・細胞間における分断ももたらした。その結果、「こちらは味方、そちらは敵」、「こちらは善玉、そちらは悪玉」という安直な二分法を流布させているのである。われわれはそれほど単純でなく柔でもないので、知らずのうちに調和のとれた状態を取り戻し、「共存・共栄」していけるのである。それが「自然治癒力」の本質だと思っている。それが再び発揮されるまでにはお金はかからないが、時間はかかるのである。

ついでながら、わたしの生命観を記しておきたい。2007年9月15日にドイツのビンゲン市のVilla Sachsen(『自然死への歩み①』に写真を掲載:ライン川沿いにある)で行われたヨーロッパ科学芸術アカデミーと東洋哲学研究所の共催によるシンポジウムで発表したものである。シンポジウムのテーマは「生と死」であり、わたしは「生命の始まりと終わり——呼吸を重視した生命観」と題して講演した。

生命の始まりと終わり——呼吸を重視した生命観

本シンポジウムのテーマ「生と死」は、誰しも自覚的にこの問題を捉えることができないがゆえに、あまりにも深遠なものであります。しかし、急速に発展し続ける生命科学やバイオテクノロジーは、まさに「生命の始まりと終わり」に関する知見を拡大しつつ、その操作さえも可能にする状況を提示し、われわれに倫理的な問題を問いかけています。したがって、さまざまな角度から議論を深めて、「生命の始まりと終わり」に関する生命倫理問題に対して解決への道を探ることは非常に重要なことであります。今回のシンポジウムではキリスト教や仏教の立場からの考察や、哲学や科学からの、さらには実際の臨床現場からの考察も期待できるので、その意義は高いものと考えられます。わたしは、仏教者として、また脳科学者として、考えていることの一端を報告したいと思います。

1　法華経の基本思想

最初に、仏教、その中でもとくに大乗仏教の中心経典である「法華経」の基本思想を抽出しておきたいと思います。コーネル大学・アイノーディ国際研究センターのウォルター・ドーン主席研究員は法華経において強調される三つの事柄を「①全人類のみならず、感覚をもったすべての存在（有情）にさえも存在するところの、より高次の本性（仏性、あるいはヒンズー教でいう神的な閃きを含むアートマンあるいは魂）への信仰、②すべての生物の相互依存性（仏教における縁起生、サンスクリット語でプラティーチャ・サムットパーダ）、そして③カルマ（業報、つまり、よい行いは行為者によい果をもたらすというように、すべて行為は同等にその報いを受けるという考え）です」[1]というように整理しています。

すなわち、第一はすべての生命体に仏性を認めるという思想です。「すべて」という点を人間や動物に限定するべきか、植物まで広げるべきかという議論がありますが、わたしは、岩石や鉱物なども含めて、さらに地球だけでなく宇宙にまで拡大して生命体として考えてよいのではないか、そして、そこに尊厳なる仏性が内在しているといってもよいのではないかと考えています。要は、仏性が潜在化しているのか、顕在化しているのかという違いにすぎないと思うのです。なぜなら、次の「縁起」という思想とも関連しますが、生物間の相互依存関係を無生物にまで広げて考えることもできるからです。また、生命体や仏性ということを、物質という実体化しやすい側面とエネルギーという実体化しにくい側面との相互変換可能系（$E=mc^2$：エネルギーは質量に光速の二乗をかけたものに等しい∴式の左辺はエネルギーという実体化できないものであり、右辺には物質の質量という実体化できるものが含まれ、それらが等号で結ばれている）として考えることも可能だとしますと、無機物といわれるものもエネルギーの塊で、それを変化させているというダイナミズムをもっているからです。

第二の縁起思想は生命体の相互依存関係を示すもので、一方では個々の生命体は孤立しているものの、他方では関係性のもとに成立しているということを指摘しています。人間がまさに社会的動物であることを、大乗経典は「人間遊行《じんかんゆぎょう》」(2)、すなわち、人間《にんげん》の人間性は人間《じんかん》において成立すると説いています。また、人間から動物へ、さらには植物へと、その相互依存性を生態学的な「生命連鎖」へ広げることは容易であり、近年の環境問題への重要な視点ともなっている思想だといえます。

第三の業報思想は、生命体にそなわる因果律ともいえる思想だと考えられます。わたしたちの「身・口・意の三業」という行動面や言語上の行為、また、意識や精神的な行為が生命体に原因として刻まれ、その結果が報いとして現れるという考え方だと思います。「九識論」(3)を適用すれば、その刻まれるところが「阿頼耶識」にあたるといえるでしょう。この「業」を「行為」というところから「変化」や「可塑性」というところまで拡大して考えるならば、この業報思想を生命体全般にまで広げて適用することも可能ではないでしょうか。

以上のように、概略ではありますが、法華経の基本思想を「仏性の内在性」、「縁起」、「業報」というように抽出してみました。そして、それらを生命体の特性というようにまとめますと、すべての生命体には尊厳なる仏性が内在している、その生命体は縁起という相互依存性で示される空間特性をもっている、また、業報という因果律で示される時間特性もそなえていると考えられるように思います。そうしますと、日蓮大聖人が「我等・一切衆生・螻蟻《ろうぎ》もんもう等に至るまでみな無始無終の色心なり」(4)と教示されていますように、生命の過去・現在・未来の三世にわたる永遠性は当然の帰結のように考えられます。したがって、本シンポジウムの課題である「生命の始まりと終わり」に対して、仏教の視点は「無始無終」を提示しているといえます。しかし、その結論ですと、「生や死を顕現する生命に対しては人為的には何も操作できない」という倫理観か、「人間も自然の生命連鎖の一部なのだから、生命に対して人為的といっても自然だともいえるので、何でもできる」という極端な倫理観に結びつかないともいえません。したがって、もう少し別な角度から、すなわち、わたしたち人間の個別的な「生と死」に焦点をあて、さらに、わたしの脳科学者としての思いつきなのですが、呼吸という観点から展開してみたいと思います。

2 呼吸とは

呼吸とは、周知のように、生命維持にとって不可欠な機能です。図1に示したように、わたしたちの身体はさまざまなシステムにより構成されていて、なかでも、従来から死の判定として用いられている「三徴候説」(5)に反映されるように、循環系・呼吸系・神経系は最重要なシステムです。その一つである呼吸系はガス交換としての「外呼吸」とエネルギー生産過程としての「内呼吸(細胞呼吸)」に分けられます。外呼吸は、口腔・鼻腔・

喉頭・気管・気管支・肺胞という呼吸器系を通して、空気中の酸素を体内へ取り入れ、逆に体内で生じた二酸化炭素を空気中へ放出する過程です。よく考えてみますと、この外呼吸系は大変興味深い性質をもっています。消化器系もそうですが、外呼吸器系はわたしたちの体内にあって体外と通じている、いわば外に開いているシステムともいえます。また、呼吸器系や消化器系を通じて、わたしたちの生命は外界の生命体と相互依存しているともいえます。さらに、呼吸運動をわたしたちは意識的に行うことも、無意識のうちに行うことも可能です。すなわち、外呼吸という呼吸の一面でさえ、仏教で説くところの生命の尊厳性や相互依存性という特性が示唆されているように思えてなりません。

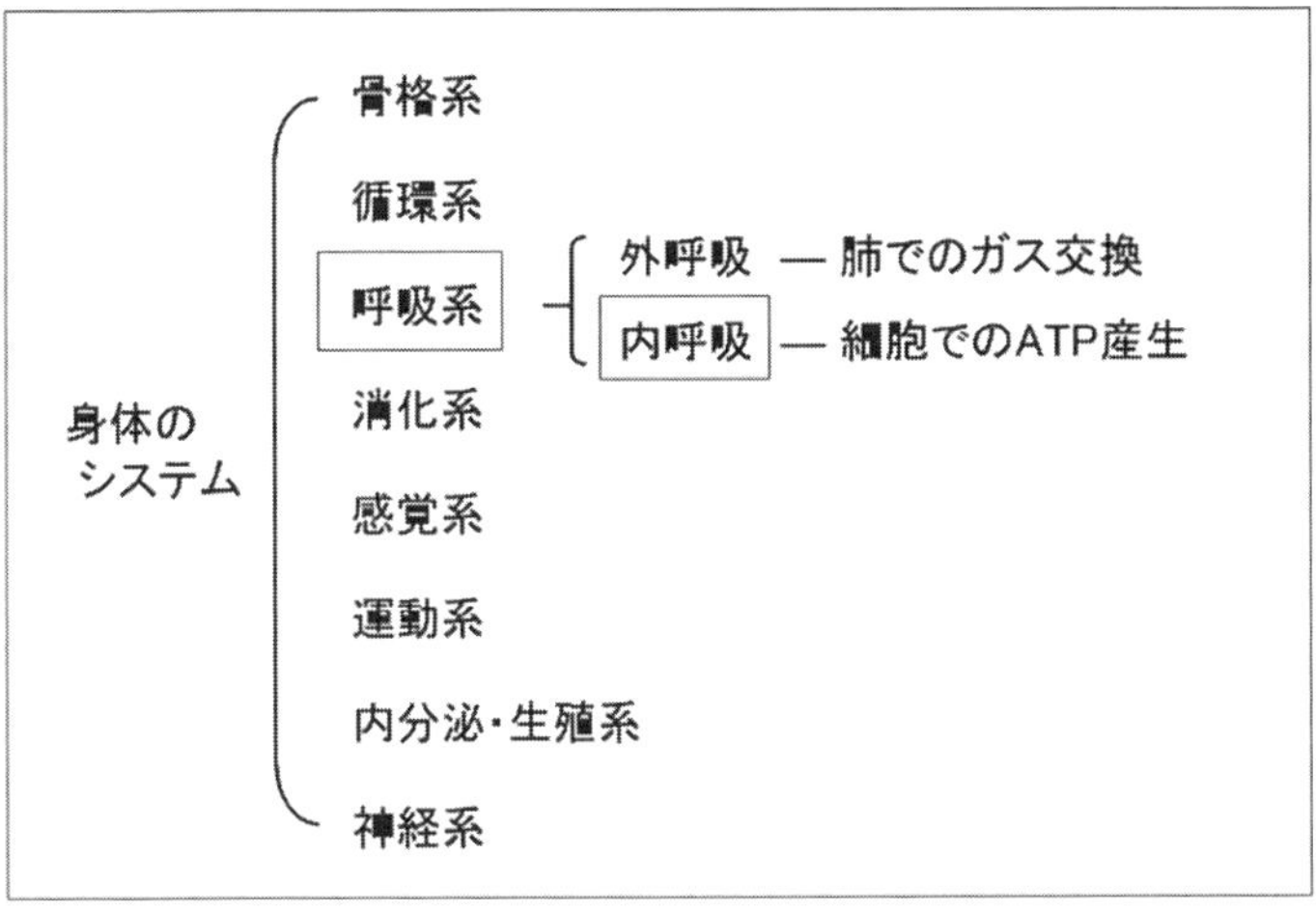

図１　身体のシステムと呼吸系の機能

一方、内呼吸は、取り入れた酸素を利用して細胞内において酸化還元反応を生じさせ、生命体にとってのエネルギー分子であるアデノシン3リン酸（ATP）(6)の産生に結実させるものです。この細胞呼吸は、動物細胞ではミトコンドリアがその舞台になっています（図2、3）。植物にはこの細胞呼吸のほかに葉緑体での光合成(7)というエネルギー産生機構があり、さまざまな細菌にも類似の機構が存在します。したがって、細胞呼吸に関与するATPなどの有機物やCO_2やO_2という無機物まで含めて考えれば、呼吸系というシステムはまさに生命体に普遍的に存在する機構であるといえます。

このような外呼吸・内呼吸という側面をもつ呼吸を考察しますと、そこに壮大な「生命連鎖」が浮かび上がってきます。大いなる太陽エネルギーを吸収して水と二酸化炭素という無機物からATPやさまざまな栄養分子を光合成する植物や細菌群、それらを栄養源として摂食して体内に吸収し、さまざまに酸化して最終的に水と二酸化炭素に戻しつつATPというエネルギー分子を合成する動物、という見事な連関性です。人間もこの連鎖の中に存在して初めて存立できるものであり、また、そこでこそ他の生命体へ貢献もなしうるということは忘れてはならない点だと思われます。したがって、生命体の示す特性の一端かもしれませんが、呼吸を中心とした「生命連鎖」システムは、エネルギー生産をもとにした「生命の尊厳性」や、空間的・時間的な「生命の相互依存性」を具現化しているもの

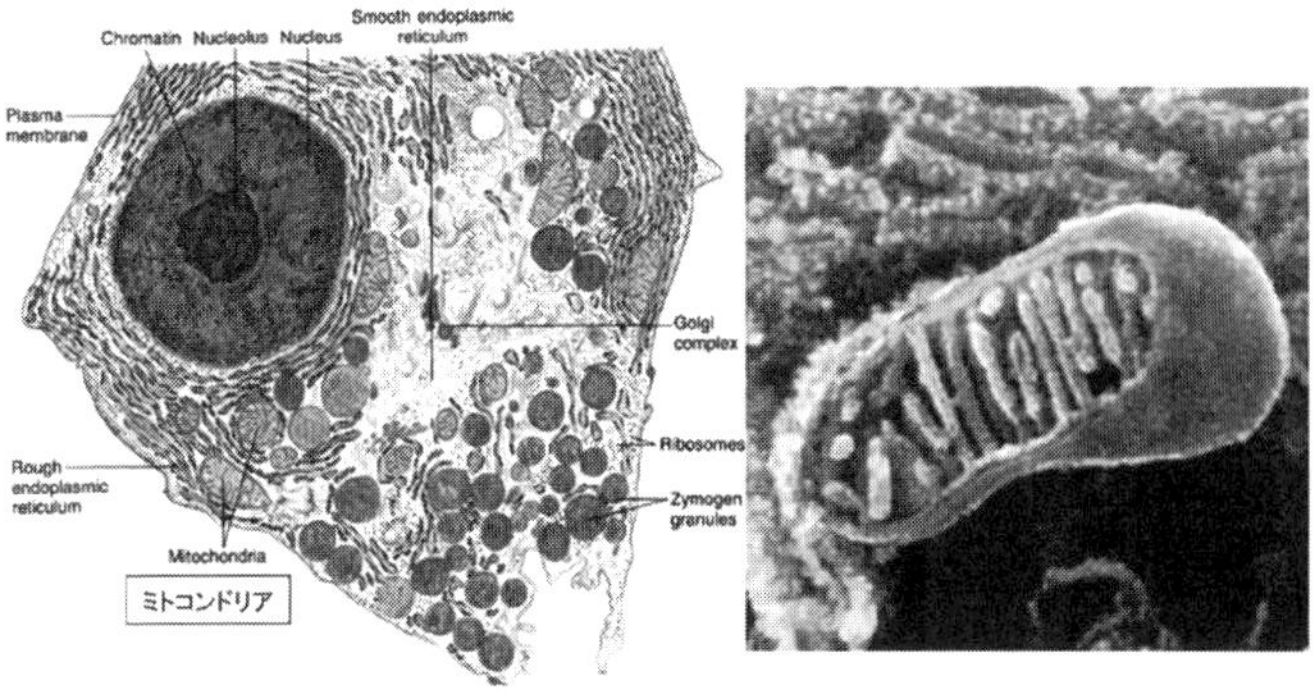

図２　動物細胞（左）とミトコンドリアの電子顕微鏡写真（右）

動物細胞での細胞呼吸(内呼吸)

— 細胞内でのエネルギー分子(ATP)産生

・細胞質でのATP合成:解糖系

ブドウ糖 ➡ ピルビン酸＋2ATP

・ミトコンドリアでのATP合成:電子伝達系

ピルビン酸 ➡ 二酸化炭素＋水＋34ATP

・$C_6H_{12}O_6+6O_2+4H_2O+36H_3PO_4+36ADP$

➡ $6CO_2+46H_2O+36ATP$

図３　細胞質およびミトコンドリアでのATP産生

といえるのではないでしょうか。

3　呼吸を重視した「生命の終わり」――「脳死」へのアプローチ

順序は逆ですが、死をめぐる生命倫理問題として「脳死」を取り上げて、呼吸を重視する立場で「生命の終わり」に関する議論を展開してみたいと思います。脳死とは、わが国では「脳幹を含む全脳の不可逆的機能停止」と定義されています(8)。

この定義は「全脳死」、また「機能死」の立場を明確にするものですが(図4)、これが国際的にも一般的です。イギリスのように「脳幹死」の立場をとっている国や、スウェーデンのように「器質死」に近い立場をとっている国もあります。この定義は、そのまま脳死の判定基準にも結びつきます。わが国では、「①深昏睡、②自発呼吸の消失、③瞳孔が固定し瞳孔径が左右とも4㎜以上になる、④対光反射・角膜反射・毛様脊髄反射・眼球頭反射・前庭反射・咽頭反射・咳反射の消失、⑤平坦脳波、⑥以上の条件が満たされた後6時間経過を見て変化がない。ただし二次性脳障害、6歳以上の小児では6時間以上観察する」という判定基準になっています(9)。

諸外国のものと比較しますと（表）(10)、その違いとして、「脳血流消失」が基準項目にはないこと、不可逆性の判定時間が6時間と比較的短い点があげられます。わが国で

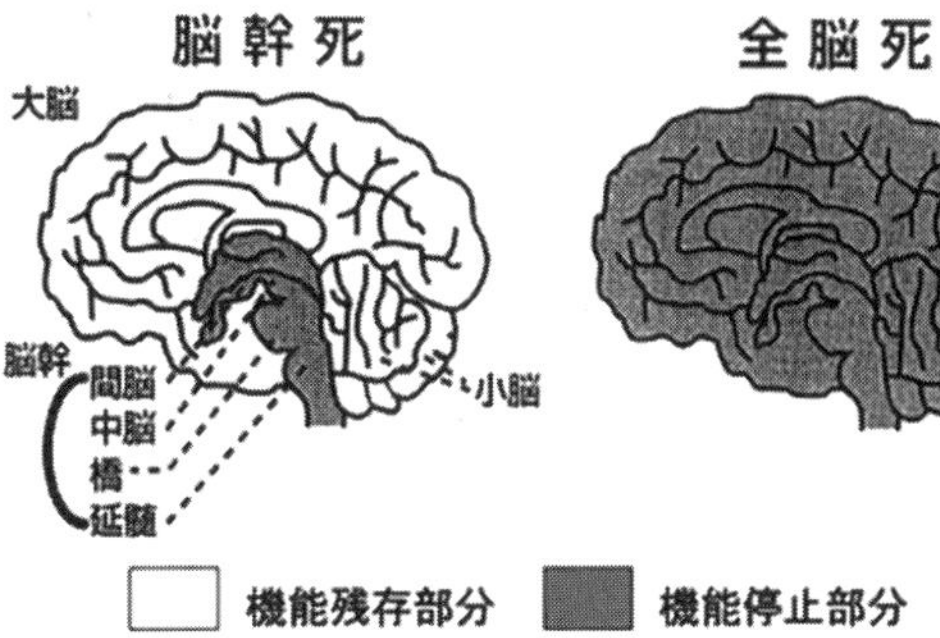

図４　脳死と脳幹死

表　脳死判定基準の国際比較（○：必須、△：参考、×：不要）

	厚生省（竹内）基準 1985年（1991補）	米国大統領委員会 1981年	英国 1976年	イタリア 1975年	スェーデン 1972年	ハーバード大学 1968年	京都大学 1991年	大阪大学 1984年（1987年） 急性一次性粗大病変	大阪大学 1984年（1987年） その他
深昏睡	○	○	○	○	○	○	○	○	○
無呼吸	○	○	○	○	○	○	○	○	○
瞳孔散大	○	○	○	○	○	○	○	○	○
脳幹反射消失	○	○	○	○	○	○	○	○	○
脊髄反射消失	×	×	×	△	×	○	×	×	×
平坦脳波	○	△	×	○	○	○	○	○	○
血圧下降	△	×	×	×	×	×	△	×	×
脳血流消失	△	△	×	×	○	×	△	×	×
判定時間	6時間	12時間	24時間	12時間	25分	24時間	24時間	6時間	24時間

は、この脳死の定義と判定基準との不整合性をめぐって長く議論されてきました。「器質死」に近い立場を取っているスウェーデンでは「脳血流消失」を検査項目として、代わりに「不可逆性」の検討は25分と短く設定してあり、整合性が取れています。対して、わが国のそれは「機能死」の立場であるにもかかわらず、「不可逆性」の検討時間が6時間と、「機能死」の立場を取っている国々と比較しても最短です。したがって、「これで正確にかつ厳密に脳死判定できるのか」という議論が噴出し、法制化が遅れました。しかし、1997年に法制化されたものの、定義や判定基準はそのままの状態です(11)。

その過程で、わたし自身が主張してきたことが「呼吸を重視した脳死論」です(12)。すなわち、「外呼吸」レベルの「自発呼吸の消失」という項目だけでなく、「内呼吸」という側面にまでも目を向けた検討です。すでに述べましたように、脳を構成する神経細胞もまたATPというエネルギー分子なしでは機能を発揮できません。たとえ、「外呼吸」がレスピレーターにより維持されていても、脳循環、つまり脳への血流が停止してしまえば脳細胞の「内呼吸」は不可能になっていることは明確です。ゆえに、呼吸を重視する立場から、必然的に「内呼吸」をも考慮した「自発呼吸消失」の徹底的な検討と、より厳密さを増すために「脳血流停止」の検査が要請されるものと考えたのです。

「脳死」というかたちでの「人間の生命の終わり」を考察したのですが、呼吸を重視することによって、生物学的・医学的な「ヒトの死」の正確性・厳密性が引き出せるのではないかと思います。その視点はまた、「内呼吸（細胞呼吸）」レベルの停止をも考慮するので、遺族に対して十分な「看取り」を提供することにもなり、その交流を通して「脳死」を単なる生物学的・医学的「ヒトの死」から社会的「人間の死」へと昇華させるものと考えられます。この人生の終焉に対する呼吸を重視する立場からのアプローチは、何も「脳死」だけに適用されるものではなく、一般的な「心臓死」の場合においても無理なく適用できるのではないでしょうか。なぜなら、「心臓死」の判定の場合においても、「①呼吸の停止、②心臓の停止、③瞳孔反射の停止」という「三徴候説」に、「呼吸」が含まれているからです。これは誰でも判断できる「外呼吸」を意味していますが、そこに「内呼吸」の側面も加味させればよいからです。以上のように、呼吸を重視することによって、「人間の生命の終わり」は外呼吸の停止に始まり内呼吸の停止で終止符を打つプロセスとして考えられるように思います。それはまた、最後の最後まで生ききるという仏性の内在性に基づく「人間生命の尊厳」を最大限に重視することであり、他人の死によってしか死を学習することはできないという空間的・時間的な「生命の相互依存性」を確認することにもなるので、仏教の基本思想とも整合性が取れているのではないかと考えます。

4　呼吸を重視した「生命の始まり」

次に、呼吸を重視する立場から「生命の始まり」を考えてみたいと思います。

図5は受精の瞬間、そして細胞分裂が進み桑実胚になるまでの写真です(13)。受精の瞬間は、それを撮影した研究者によると〝輝く〟とのことです。受精から誕生にいたるまでには、さまざまなターニング・ポイントがあります。受精後およそ30時間で卵割が始まります。約10時間に1回の割合で分裂が進み、桑実胚から胚盤胞となって、およそ1週間後に子宮に着床します。着床後5日、「胚子」形成が進み、外胚葉（脳などの神経系に発達する）・内胚葉（肝臓・すい臓・肺などに発達）・中胚葉（骨・筋肉・血液などに発達）に分かれていきます。受精後約4週で、中胚葉から心臓が目立ちはじめ、拍動が始まります。ほぼ人としての形づくりを整えるのが8週、胎動が始まるのが16週とされています。脳の発生も外胚葉から神経管の形成を経て、6〜8週にかけて、前脳胞・中脳胞・菱脳胞からそれぞれ大脳半球・間脳・中脳・小脳・橋・延髄という区分が生じてきます。ただし、それぞれの脳領域を構成する細胞の分裂は6〜7カ月まで続くとされ、その後は生後も含めてネットワーク形成が進むとされます。そして、生命の誕生とともに「外呼吸」が開始されるという劇的な変化も加える必要があるでしょう。

こうした誕生までのプロセスを呼吸を中心に見るとどうなるでしょうか。「外呼吸」は

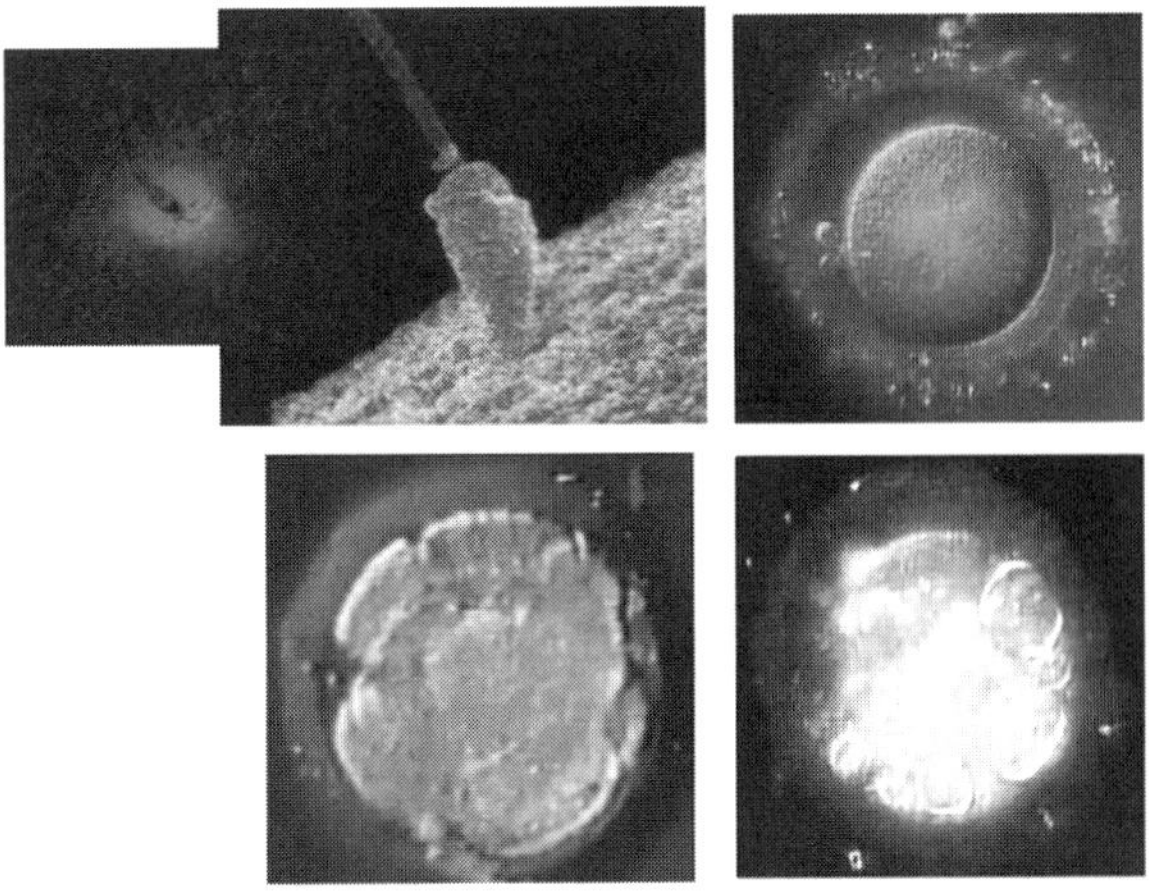

図５　受精の瞬間（左上）・受精卵（右上）・８細胞期胚（左下）・桑実胚（右下）

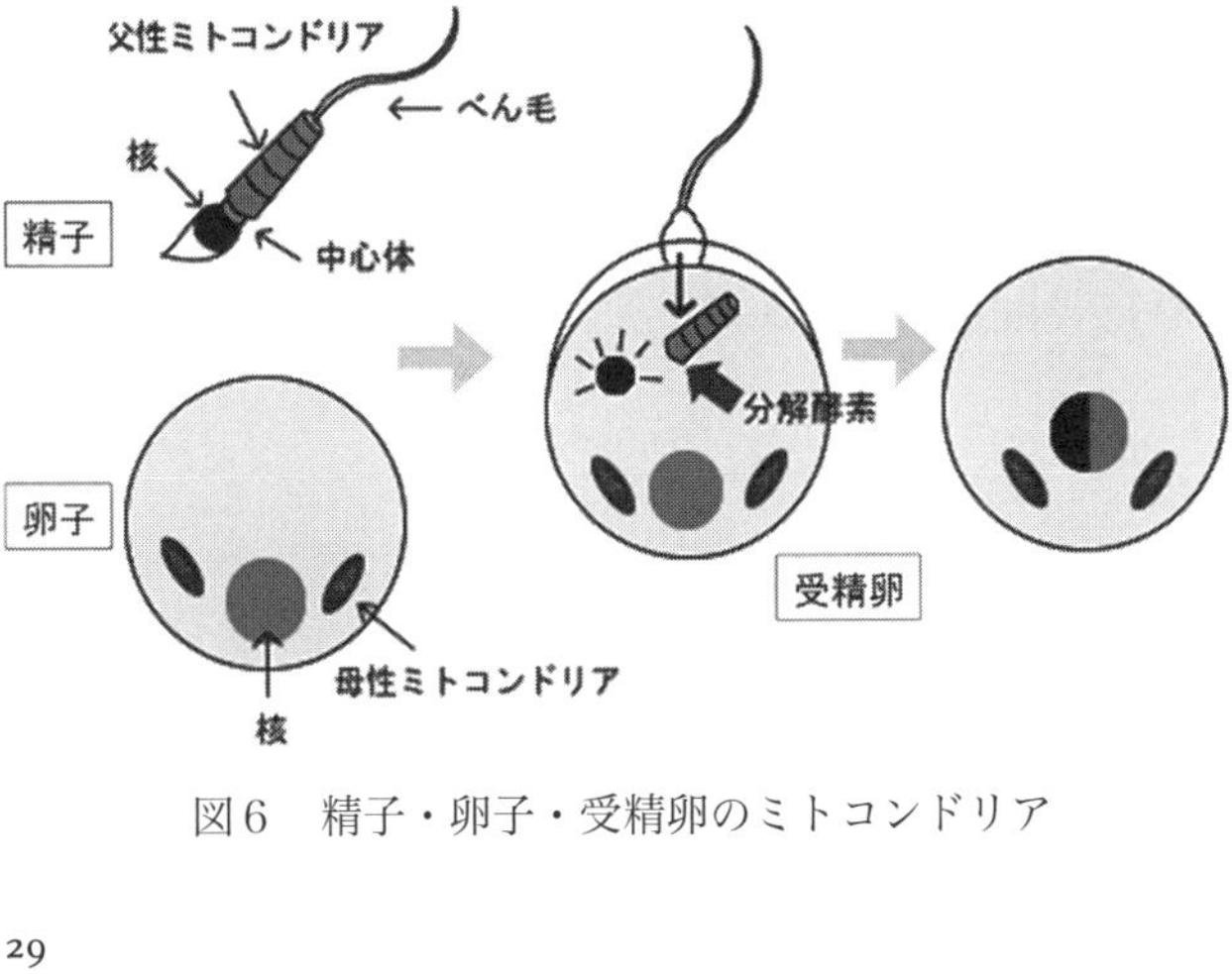

図６　精子・卵子・受精卵のミトコンドリア

生後ですから、「内呼吸」の観点です。この内呼吸、すなわち細胞呼吸の場合、わたしたち人では動物細胞ですから、それぞれの細胞内のミトコンドリアが舞台となります。

受精卵や胚の状態での細胞内のミトコンドリアについては詳しくわかっていませんが、精子由来のミトコンドリアは分解して、卵子由来のものから受け継がれるようです（図6）[14]。受精直後は細胞呼吸というよりは、卵黄に蓄えられた栄養物をエネルギー源にしているものと考えられます。次いで着床して胚子形成が進むとき、子宮内膜の方には胎盤が形成されます。この胎盤を通してガス交換や栄養物・老廃物の交換がなされるので、注目するべきポイントでしょう。また、内呼吸を成立させる循環系のはたらきも重要ですから、心臓の拍動開始という時点も大切になります。

以上のような考察から、呼吸を重視した立場で「生命の始まり」を考えるならば、①ミトコンドリアの授受という観点から「起点はない」という考え方が提案されるとともに、②内呼吸の開始点としての着床および胎盤形成の時点（約1週）、③内呼吸を支える循環系の成立の時点（約4週）、ということを基準にする考え方が提案できるように思えます。

いずれにしても、こうして「生命の始まり」を「生命の終わり」と同様にプロセスでとらえる提案は、仏教本来の考え方、すなわち、「卵子と精子と識の冥合」というものに近いと考えられます。なぜなら、「卵子と精子の冥合」だけならば受精の瞬間といえますが、それに「識」が加わるわけで、しかもその「識の冥合」は受精の瞬間とは特定できないからです。それはまた、尊厳なる「仏性」の発現ということや、母胎を通しての空間的・時間的相互作用というように、仏教の基本思想を展開して考えることも可能かもしれません。

5　まとめ

本稿において、呼吸を重視する立場から人間の「生命の始まり」と「生命の終わり」について論じました。それはともにプロセスとして考えることの妥当性を示しています。図7にまとめてみましたが、「始まり」の方では受精・着床・拍動開始という点が考えられ、「終わり」の方では（外）呼吸停止・脳機能停止・脳血流消失・全細胞死という点が考えられます。そして、「生命の尊厳」という立場では

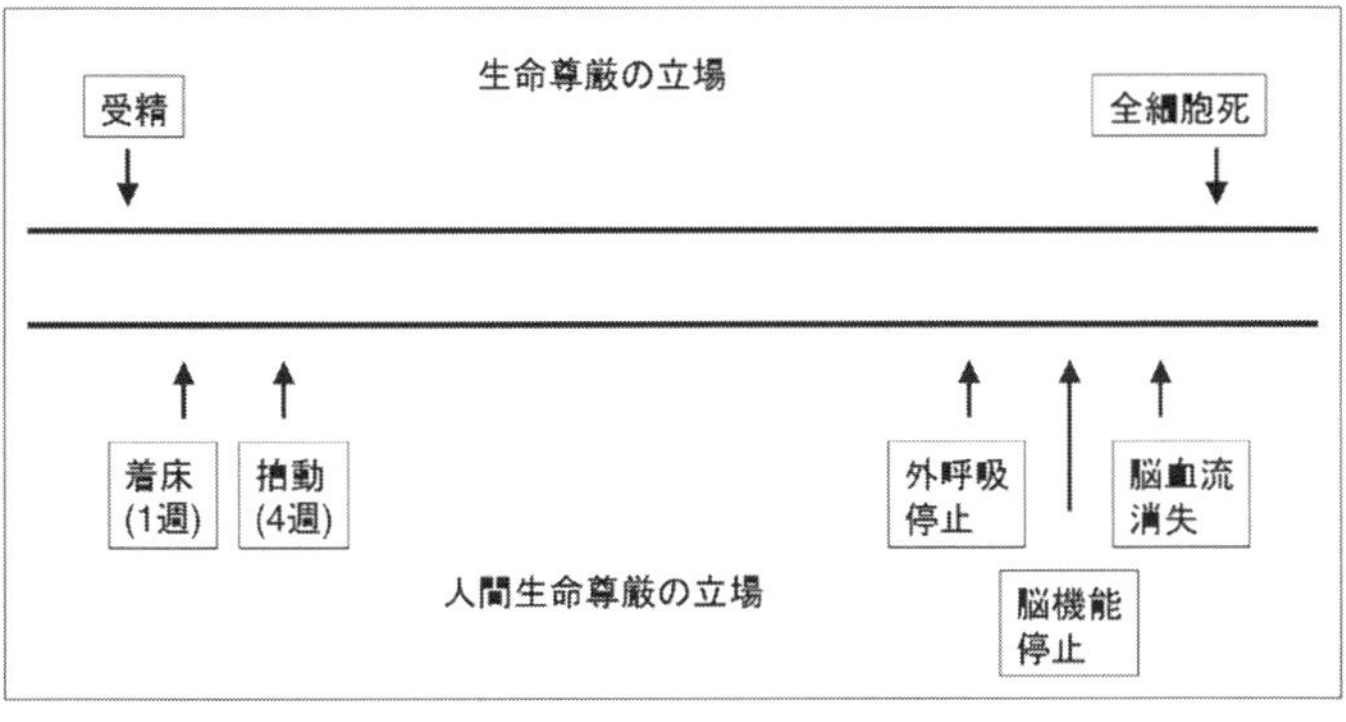

図７　呼吸を重視した生命観

受精の瞬間から全細胞死まで生命を最長になるように扱う視点が提供され、「人間生命の尊厳」という立場ではいくつかの視点、たとえば着床から脳血流消失までを人間生命として扱うなどの視点が考えられます。

このような視点は法華経の基本思想である「生命体における仏性の内在性」「縁起という生命体相互の依存性」「業報という生命体の因果律」を決して損なうものではなく、また仏教で説かれる生命の無始無終、三事（卵子・精子・識）和合による誕生、呼吸停止・識の消失による死という生死観と矛盾するものではないと考えられます。

参考文献および注

（1）A. Walter Dorn：「如蓮華在水 ── 東洋の精神性はいかに世界平和に貢献しうるか」『東洋学術研究』第39巻第2号、106―122頁、2000年。
（2）長阿含経の「人間に遊ぶ」や「人間遊行」ということばの人間の意味は、人々の間、あるいは世間を表している。
（3）勝又俊教：『仏教における心識説の研究』山喜房佛書林、1969年。木暮信一：「仏法から見た植物状態」『東洋哲学研究所紀要』第5号、197―186頁、1989年。

（4）「諸宗問答抄」『日蓮大聖人御書全集』382頁。

（5）脈拍の停止、呼吸の停止、瞳孔の散大という三徴候で死を判定する従来の方法。脳死の判定方法に対して、一般的に「心臓死」の判定方法といわれる。

（6）アデノシン3リン酸（ATP）は地球上の生物の共通のエネルギー通貨といわれる。1分子量のATPが加水分解してアデノシン2リン酸（ADP）とリン酸になるとき、7・3キロカロリーのエネルギーが放出される。

（7）光合成とは光のエネルギーが生物系によって利用できる形の化学エネルギーに変換される機構。その代表的なものとして、植物が光エネルギーを用いて二酸化炭素と水からブドウ糖などの有機物を合成する機構をあげることができる。その化学反応は、図3に示されているATP産生反応とは逆方向のものとして示される。

（8）「脳死の定義」については日本脳波学会の「脳死とは、回復不可能な脳機能の喪失をいう。脳機能には大脳半球のみならず、脳幹機能も含まれる」（1968年）という全脳死・機能死の立場が基本的に踏襲され、1997年に制定された「臓器移植法」にも反映されている。

（9）この「脳死の判定基準」は当時の厚生省研究班（竹内基準、1985年）が作成したものであり、現在の「臓器移植法」の場合でも用いられている。ただし、現在では「脳血流の消失」が補助検査項目となっている。

(10) 魚住徹・沖修一「脳死診断基準の比較」『救急医学』第11号、799頁、1987年。

(11) いわゆる「臓器移植法」は1997年に「臓器の移植に関する法律」として制定された。第六条二項に「脳死した者の身体」に関して「その身体から移植術に使用されるための臓器が摘出されることとなる者であって脳幹を含む全脳の機能が不可逆的に停止するに至ったと判定されたものの身体」と定義され、その判定については同条四項に「厚生省令で定めるところにより行う」と記載されている。

(12) 木暮信一「大脳生理学より『脳死』を考える」『宗教法』第13号、3－17頁、1994年。

(13) 日本放送協会編『人体』1992年(一部改変)

(14) http://www.bioportal.jp/columns/06/06yogo.html(一部改変)(こぐれしんいち／東洋哲学研究所研究員)

2020年1月28日(火)

土・日と群馬へ。いわき市の大川魚店の海鮮粕漬けを持って、細野宅経由でTK宅へ行ってきた。皆元気で新年を迎えたとのこと、何よりである。TK宅で大相撲観戦をしながら、海鮮粕漬けに舌鼓を打った。アワビ・イクラ・ツブ貝・エビ・イカ・ウニなど、酒粕の香りと旨みが十分しみていて、この上なく美味であった。東日本大震災で打ちのめされながら、復興への希望を胸に考え出されたものとうかがった。最初はビールだったが、次に「八海山」をいただき、日本酒に実に合うと感心した。細野姉やTK夫妻にいわき市への往復500㎞の強行軍を笑われてしまったが、求めがいのある代物であった。5000円ほどでこれほどの喜びを味わえるとは感謝である。

大相撲初場所は白鵬・鶴竜両横綱が休場したが、逆に大いに盛り上がった。13日目まで大関貴景勝が2敗、前頭の正代と徳勝龍が1敗で優勝争いをし、最後は徳勝龍が14勝1敗で優勝した。昨日の千秋楽で貴景勝を破って優勝を決めた瞬間、よほど感極まったのだろう、大粒の涙があふれていた。正代優勝を予想していた名解説者の北の富士や舞の海も「何かが取り憑いていたのではないか」というほど驚いていた。新聞で、近畿大学でお世話になった伊東監督が1月18日に急逝したとあり、「監督の顔を思い浮かべて一緒に相撲を取っていた」ことを知った。33歳で幕尻力士の優勝である。小兵の炎鵬の活躍といい、徳勝龍の優勝といい、横綱不在の方が大相撲が面白くなる。

昨日の深夜から雪が降ったが、瑞穂町周辺では2～3㎝ほどの積雪で今日の午前中にはとけてしまった。雪害や交通機関への影響はほとんどなかったようである。久しぶりの雪景色で、群馬にいたとき作詞・作曲した『君と旅立ち』を思い出した。群馬創価学会が主催した「第1回群馬音楽祭」でコンペが行われ、最優秀賞に輝いた歌である。学会の群馬県中等部長として活躍していた時で、爽やかな中学生との出会いをもとに作ったものである。作曲の方は妻の力を大いに借りたが。

君と旅立ち

1月の最後の日　僕は君と会った
その日は雪の日で　まぶしい銀世界
ああ　雪のよう　君は僕の心に
ああ　雪のよう　思い出残して深々と積もる

2月の最後の日　君とまた会った
その日は颪の日で　夢まで押し戻す
ああ　颪に向かい　走り続ける君は
ああ　颪のよう　遥かな希望を明日へと運ぶ

3月の別れの日は　君と僕の旅立ち
その日は晴れの日で　輝く山脈《やまなみ》
ああ　いつの日か　君とあの頂《いただき》に
ああ　いつの日か　険しさ超えて爽やかに立とう

1月13日に記したが、山中先生のインタビュー番組を見て、少しおこがましいが激励の意味で拙著『ミトコンドリアはミドリがお好き！』を謹呈させていただいた。今日、山中先生からお礼の手紙が届いた。「謹んで、拝読させていただきます」とあり、さすが爽やかな返信であると感心した。発刊当時、いろいろな人たちへ贈呈させていただいたが、返礼の手紙を受けたのは達磨岩手県知事だけであった。先ごろもYI群馬県知事へ謹呈したが、今のところ梨の礫である。それぞれ多忙な人たちであり、贈本されても読みたくない人もいよう。わたしは思い入れが強い方なので、返信だけでもと求めてしまいやすい。しかし、今回の山中先生の応答で、思いの伝わる真摯な人もいると確信した。これからも贈本活動を続けようと勇気を得た。

2020年1月31日㈮

令和2年1月もあっという間である。山中先生からの手紙で元気が出たところ、今度は瑞穂町の広報課から電話があり、「町長への手紙」の件で話を伺いたいとのことである。間が開いてしまったことについても詫びていて、まじめに受け止めてくれていたのだと思った。広報課のF係長が来宅され、2時間近く懇談した。Fさんの方からはスカイホール・六道山公園・横田基地の現状について説明があり、わたしの古い認識を正してくれた。わたしの方からはノルウェーやカナダの滞在経験に基づいたセカンド・ハウス、冗長性、仮設住宅などについて話し、ずいぶんと感心してくれたようである。〝瑞穂〟という名前の由来から考えても、緑豊かで作物がよく実り、災害が少なかったのではないか、と意見が一致した。最後に町長およびFさんへ『ミトコンドリア』本を謹呈させていただき、とても喜んでもらえた。「よく整理して町長へ必ず伝えさせていただきます」と確約され帰

瑞穂町・六道山公園の展望台より富士山を望む

六道山公園の展望台

られた。心温まる有意義な懇談であった。

ＦＹさんからメールが入り、２月４～７日の間に会いたいという。２月８日にはサンフランシスコへ出発するので、あわただしいスケジュールである。頼りになるＭＹ君と相談し、２月５日に若干名が集まって送別会を開くことにした。ＵＣＳＦで脳科学研究が続けられることはすごいことで、分離脳研究でノーベル生理学・医学賞を受賞したスペリーのような業績を上げてほしいと念願する。２年間近くのオックスフォードでの経験も聞けるので楽しみである。

先日少しばかりの雪が降ったが、暖冬である。両脚痛も緩和され、春がそこへ来ている感じである。しかし、武漢を中心に発生した新型コロナウイルスによる新型肺炎が勢いを増し、パンデミックを起こしそうな様相である。中国政府が武漢市の封鎖をはかる一方、アメリカや日本は滞在して帰国を希望している人たちの母国への輸送や感染防止策を検討している。世界的に見ても感染者は1万人を超え、死亡者も１００名は超えるのではないかと予測されている。現状ではＳＡＲＳを上回ってはいないが、近未来の状況が心配である。勢いが衰えなければ、２０２０東京オリンピックの中止もありうると悲観する人も出ている。ＷＨＯが緊急事態宣言を出すかどうかがカギである。

2020年2月5日㈬

新型肺炎はますます拡大し、ついにWHOが緊急事態宣言を出した。感染者はもうじき2万人を超え、死亡者も500名を超える勢いである。治癒例も報告されつつあるが、ピークは4月ごろと推定されている。

FYさんの送別会であった。参加者は当人とわたし、それにMY君とSSさんの4人であった。少人数なのでさびしい会になるかと思ったが、かえっていろいろと懇談できてよかった。FYさんからはUCSFでの研究内容、やはり認知症にかかわるテーマに取り組むことが報告された。サンフランシスコの住宅事情もオックスフォード同様かなり高いようで、生活は厳しくなりそうである。彼女のことだから何とか頑張って成果を上げてくれるだろう。MY君は都の研究所で主任研究員となり、うつ病の動物モデルを使って新薬の開発に結びつく研究が軌道に乗りつつあるということである。幹事役のSSさんがずいぶんと美しいOLに成長し、彼女のおかげで花が咲いたようであった。FYさんに餞別を10万円、MY君に振り込みの返金10万円を渡した。楽しい話は3時間にも及び、八高線の最終にぎりぎりセーフであった。若者たちとの語らいはこちらが励まされる感じで、これからも要望があれば機会を重ねていきたいと思った。

2020年2月7日㈮

珍しく夢を見た。どれほど食い意地が張っているのだろうか？「りんごサンド」の夢であった。皮付きりんごをスライスして、間にチーズないしはオレンジ柚餅子《ゆべし》を挟んで、全体をとろろ昆布で巻いて出来上がりという代物である。柚餅子は柚子や胡桃を混ぜ込んで作る餅のような和菓子で、オレンジを入れたものがあるのかどうかわからない。とろろ昆布で巻くと一体どんな味になるのか見当もつかないが、とにかく適当に材料をそろえて試食をしてみようか、と寝ぼけ状態で思いついたのである。りんごでうまくいけば、梨や柿のスライスでもよいかもしれない。10個入りで真空パックにすれば……ということで真空パック製造機とシートを早速アマゾンで購入することにした。

わたしの「善は急げ」精神には呆れるばかりであるが、そこにはいつも一攫千金の下心がある。わたしの夢は創立者・池田先生が「創価大学に医学部をつくることが最後の教育事業」といったことを実現することである。そのためには莫大な資金が必要となる。それを得るために「宝くじ」を当てよう、「マツタケの人工栽培」を実現させよう、「ノーベル賞」を受賞しようなどと妄想を抱いてきた。これまた呆れるばかりであるが、それより新しいお菓子を開発・販売した方が実現性は高いのではないかと、今朝の夢で気づかされた。

そのお味は試作品をつくってみてのお楽しみである。

2020年2月8日㈯

昨日の午後モールへ出かけ、りんご・チーズ・とろろ昆布などを購入。柚餅子がないのでいろいろな果物エキス入りのゼリーにしてみた。早速夢の実現目指し試作品をつくって味見してみた。不味くはないが、旨いという代物でもなかった。「これは絶品」というところまでいかなければ、商品開発には到底たどり着けない。市販よりも少し厚いとろろ昆布でないと巻きづらい、やはりゼリーでなく柚餅子にしないと……、いろいろ改善の余地があると思った。夕食前に照美と信幸に試食させたところ、わたし同様の感想であった。信幸からは「とろろ昆布でなく海苔にしたら」との提案があり、照美からは「りんごのチーズフォンデュの方がいける」と言われた。ついでに「夢のお告げをすぐ実行するなんてまだまだ若い！」と皮肉られたが。

ＹＢさんから電話があり、そのうちわたしの家でＹＴ・ＲＢさんらを含めての会食のお誘いであった。時間はあるのでストレス解消にはもってこいである。『聖教新聞』で「2月4日　東洋哲学研究所の日」にＹＴさんが研究報告したとあったので、最新ニュースが聞けるかもしれない。心を開いて何でも語れる友人の存在はありがたいものである。彼らにも「りんごサンド」を試食してもらうというのもよいかもしれない。

それにしても新型コロナウイルスによる肺炎の感染者および死亡者が拡大している。中国を中心として感染者2万人以上、死亡者600人以上という状況で、4~5月までさらに増加するのではないかと推定されている。横浜港へ接岸予定だった大型クルーズ船でも感染者が出て、対応をどうするか、法的整備をどう行うかなどを含めて国会でも議論になっている。一方、マスクの不足も目立ち始め、製造が追いつかないと喧伝され、パニックになりそうな勢いである。感染病の専門家がTVに引っ張りだこで、「マスクでどこまで感染を防げるか」「手洗いの方が防止効率は高い」などと説明している。SARSやMERSより感染率・死亡率は低く、肺炎症状も軽いといわれているが、連日各局で報道されていると不安を煽っている感がある。

わたしは免疫力を高める方が大事であると考えているが、その方向からの専門家の意見はない。「免疫力を高める方法」を科学的かつ具体的に示した報告はないのかもしれない。わたしの知る範囲では、「森林浴によってナチュラルキラー細胞が活性化する」という報告がある。ウィキペディアによれば「ナチュラルキラー細胞(natural killer cell:NK細胞)は、自然免疫の主要因子として働く細胞傷害性リンパ球の一種であり、特に腫瘍細胞やウイルス感染細胞の拒絶に重要である。細胞を殺すのにT細胞とは異なり事前に感作させておく必要がないということから、生まれつき（natural）の細胞傷害性細胞（killer cell）という意味で名付けられた。形態的特徴から大形顆粒リンパ球と呼ばれることもある」と説明されている。森林浴によってストレスも軽減されるという報告もあるので、緑の光を浴びながらのんびり過ごせば今回の新型肺炎にも対応できるのではないか。「ミトコンドリアはミドリがお好き」であるから、生命エネルギーのもとであるATPも増産され、元気が出てくる。マスクもいらず、手洗いもせずとも、森林浴や緑光浴を心掛ければウイルス感染は防げるかもしれない。感染しても同様のことをしたり、緑色の温泉につかったりすればウイルスが増殖することはないのではないか。特別な治療も施設も必要ないのではないかと考えている。

2020年2月10日(月)

寒い朝である。信幸が新しい会社の面接だということで、西武立川まで送ることにした。高田馬場にある、ゲームソフトのバグを見つけてレベルアップさせる会社らしい。37歳でY電機にも10年勤めたので転職を考えていたとのことである。午後3時ごろに帰宅したが、あまり表情はすっきりしていなかったので「ダメ」の印象であった。ところが夕方になって、メールで合格通知が届いたという。ただし1カ月の研修期間があり、正式採用はその後とのことである。この先どうなるかは未知であるが、好きな分野の仕事なので挑戦を勧めた。照美もこの4月から国立音大の図書館職員になる予定なので、2人そろって新たな人生が拓けることを祈らずにはいられない。

2020年2月11日㈫

昨晩信幸が新会社の人事担当者とメールのやり取りをしたり、その会社のクチコミ情報を検索したりして、今朝になって断ることにしたという。離職率が相当高い、本社というより派遣社員になる方が多い、残業代が不明瞭などブラック企業に近い会社のようだ。ホームページを見る限りそんな様子はなさそうであるが、クチコミ情報の方が信頼できるとのことである。

わたしの大卒時などは、本人も採用会社も将来を決めることになるので双方ともに真剣であったように思う。そこに詐欺まがいのことはなかったに違いない。この30年近く、好景気・不景気、就職氷河期などいろいろあったが、ずいぶんと様相が変わってしまった。

とくに小泉長期政権下で、竹中平蔵氏のアイデアで導入した「非正規社員制度」はまさに愚策中の愚策であったといわざるを得ない。社員が交換のきく機械の部品のように扱われはじめ、職場から社員教育の観点が失われたように思う。家庭にあっても学校にあっても職場であっても、組織の中において信頼こそが大事である。その信頼はともに時間を過ごすというところから醸成されるに違いない。インターネットや携帯を通して情報交換ができるからといって信頼が醸成されるだろうか。

「情報化社会」が進展すればするほど〝情に報いる〟ことが欠落してしまうのではないか。それともAIが〝情に報いる〟ことさえも可能にしてしまうのか。わたしは悲観的である。なぜなら、同じ刺激を受けても「わたしの反応」と「あなたの反応」は異なるからである。茂木健一郎氏が『脳とクオリア』（日本経済新聞社、1997年）で展開したように、赤いリキュールを見ながらリンゴの赤を思い出す人も口紅を思い浮かべる人もいて、リキュールを口に含めば結婚式の乾杯を感じる人も送別会の惜別を感じる人もいるからである。千差万別であり、われわれは交換がきくような存在ではないからである。だからこそ画一化できない人間社会は面白いのであり、それぞれの生きざまを発揮する意義があるのだと思われる。

2020年2月15日(土)

WHOが今回の新型肺炎をCOVID－19（Corona Virus Disease-2019）と命名した。現状で感染者数は6万人を超え、死者も1300人を超えているらしい。中国内がほとんどなので、パンデミックというまでには至っていない。わが国でも感染者が250人にのぼり、初の死者が出た。中国への渡航歴もない人なので、もはや1次感染・2次感染レベルではなくなっている状況である。厚労省が的確かつ統一的な対策や検査体制を示していないので、マスコミの追及がやたらと喧しい。春らしい日々が続く中、花粉症やインフルエンザの到来もあるから、COVID－19の方は次第に鎮静化するのではないかと思われる。そうした楽観が許されるかどうか、今月末には決着がつくのではないだろうか。

午後3時過ぎからYB・RB・YTさんが来宅され、8時まで楽しい一杯会が行われた。刺身・寿司を中心によく食べ、よく飲み、よく語り合った。居酒屋などでなくわが家で開催できることは嬉しいことである。鬼の居ぬ間にではないが、敦子がいたらとてもこんな楽しい宴会はできない。YTさんはドクターストップでアルコールはダメとのことであったが、2月4日「東洋哲学研究所の日」で活動報告したことや会食会での出来事を話してくれた。また早稲田大学の若手研究者が代表者である科研費Bが通り、毎年ドイツでの報告会へ発表参加するとのことであった。すごい活躍ぶりである。ところがYTさんの履歴や業績をめぐって創価大学職員から「研究分担者としての資格なし」と横やりが入り、「研究グループからの離脱や研究費の返納」を求める状況に追い込まれたそうである。しかし、学振に問い合わせたところ「そんなことはない」と言われ、結果オーライということになったそうである。わたしは聞いていて「相変わらず揚げ足取りをする輩がいる」と自分の経験を思い出した。晴れがましいことをともに喜びあえないで、やたらと嫉妬する卑しい品格の持ち主が跋扈しているのである。YBさんはこの春にカナダ・バンクーバーへ行き、そこからバンフまで車での旅行を計画していることを楽しそうに話してくれた。バンクーバー時代にわたしの果たせなかった夢だったので羨ましいかぎりである。

楽しい時間はあっという間で、5時間も話が弾んだ。バス停まで送りながら、「2カ月に1回年金支給日に合わせて一杯会を続けましょう」ということになった。次回からKさんやKNさんも参加することになれば、さらに話は広がり深まることだろう。

2020年2月18日(火)

昨日から確定申告が始まった。わたしにとっては初めての経験なので、かなりの緊張感がある。どうせならインターネット上のe-Taxを利用して申告してみようかと思い国税庁のHPへアクセスしたところ、PCのOSに条件が付いていた。Windows 7だと不具合が起こりやすくWindows 10が推奨されていた。わたしの2台のノートPCのOSはともにWindows 7なので、Amazonで次のようなスペックのPCを購入することにした：GLM　超軽量　薄型　PC　ノートパソコン　日本語キーボード　Microsoft Office 2019／Windows 10／INTEL x5-Z8350／WIFI／USB 3.0／HDMI／WEBカメラ／14・1インチ／SSD 64 GB／メモリ4GB（ASIN：B07W6ZKJWJ）。価格は3万5160円で明日には届くことになった。

信幸に聞いたところ、Officeが搭載されているのでWord・Excel・PowerPointは使用でき、WIFIでインターネットやメールもできるからOKというお墨付きをもらった。OSやスペック内容が時代とともにめまぐるしく変わっていくところなので、ついていけない感を抱いてしまう。しかし、価格はかなり低くなっているので気楽であり、どんなものが届くか明日のお楽しみである。

それにしても新型肺炎ウイルスによるCOVID－19が勢いを増し、しばらくは収まりようがない状況である。厚労大臣が記者会見を行い、感染検査の受け方をはじめとしてさまざまな注意事項や対策を発表したが、あいまいな部分が多く、マスコミの格好の餌食になってしまっている。〝嵐〟の中国公演が中止されたり、2月23日の天皇誕生日の一般参賀も中止されたりと、いろいろな分野に影響が出ている。GDPも10％ほど低下するとのことで経済不況も迫ってきている。

前にも述べたが、こういう時は右往左往することなく、時間の経過を見つめながら時間主義的幸福感を味わうことだとわたしは思っている。緑光浴の時間を利用して、わが身体を構成する60兆個の細胞に散在するミトコンドリアを活性化させ、免疫力を高めることである。心身相関の原理によって、身体の活性化は精神の健常化を促しストレスフリーをもたらすだろう。お金はかからず、気づいたときにはパンデミックは収束していたということになるだろう。さあ、森林浴剤を入れた木暮温泉で一風呂楽しむことにするか。その後は瑞穂モールの「茉莉花」で絶品の「八宝菜定食」をいただくことにしよう（気が変わって、イオンの「ふわわ」で「天丼定食」、そして弁当など買い出し！）。

2020年2月20日㈭

昨日PCが届いたので早速e-Taxに挑戦してみたところ、なかなか要領を得ず完了することができなかった。確定申告初体験者として、やはり青梅税務署へ行って説明を受けるしかないと決めた。
11時ごろに出て、久しぶりに拝島の「駅そば」を堪能してから、税務署へ向かった。頭では河辺で降りればよいとあったが、羽村で降りてしまった！ タクシーに乗ったらかなり距離があるので、河辺で降りることを思い出した。認知症が始まっているのか、タクシー代金2000円の出費である。

税務署の前には人だかりで、それでも午前中はもっと多かったと済んだ人が言っていた。受付で申告の種類別に分けられ、わたしはB列に並んだ。15人ほど前に人がいて、待つこと約1時間、ようやくわたしもPCの前に立つことができた。その場で署員が実に丁寧に説明してくれ、用意していった給与所得や年金給付の源泉徴収票など、健康保険や生命保険などに記載してある数値を打ち込み、20分ぐらいで完了することができた。完成した申告書のコピーをいただき、自宅からのe-Taxの方法も教えてもらった。やはりプロは大したものだと思った。清々しい気持ちとは裏腹に両脚痛がひどくなり、河辺駅までの徒歩10分が30分ぐらいに感じられた。

ともかく初めての確定申告が終了した。ギョーザ・焼売・手羽先をチンして、ビールを飲み干した。ご機嫌なわたしの姿に信幸・照美も笑いながら、早速還付金16万円をねだりに来た。今晩は疲れとほろ酔いでよく眠れることだろう。

2020年2月26日(水)

イタリアでもCOVID－19感染拡大でパンデミックが現実化しそう？ WHOも大きなイベントの延期や中止を訴えている。東京オリンピック・パラリンピックの開催を危ぶむ声も出始め、5月にはその結論が出るという。中国を中心として感染者数は10万人を超え、死者数も1万人を超えているのではないか？

国会でも議論が白熱しているが、政府側答弁に正確さや一貫性がなく、かえって不安を増大させている感がある。感染経路を特定しようとしているのであるが、発生初期ならばともかく、すでに3カ月に及んでいるのであるから、空気感染も疑う必要があるのではないか。マスクが品切れ状態で、案の定マスクの価格はそう変化していないが、ネット販売の送料が1万円以上という詐欺まがいのことが起こっている。アメリカや日本の市場も荒れていてウイルス不況がやってきそうな勢いである。確かに人ごみでの感染の可能性が高いため、自宅待機でテレワークへの転換、学校の休校措置などがすすめられている。

わたしは何もせず、ただ祈ることが大事だと思っている。不安によるストレスの増大と免疫力の低下は必ず起こることなので、要は不安を克服すればよいのである。わたしが肺炎や肋膜炎を患ったときは抗生剤で、それこそ3日ぐらいで影が消えて治ってしまった。

C型肝炎の方はすでに30年以上も共存していて、治療効果ではなく、ストレスと相関して肝機能値が上下を繰り返している。C型ウイルスの特効薬もできて勧められたが、それも断ったからいまだに共存していることになる。かかりつけの医師からC型肝炎は発症20年後には肝硬変に、30年後には肝がんに移行していくといわれたが、そうした症状は現れていない。検査を拒否しているので、実際はひそかに肝がんができているかもしれないが。楽観的に「ミトコンドリアはミドリがお好き」の原理で、いつも森林浴剤を入れた木暮温泉を楽しみながら、「運がいい、ありがたい」と思い続けている。

感染拡大をマスコミは喧伝しているが、そこに登場する専門家も人間の生命力に対して安い値踏みをしているように思える。ウイルスに人間は打ち負かされてしまうのか。ウィキペディアによれば、「現在までヒトの世界でパンデミックを起こした感染症には、天然痘、ポリオ、麻疹、インフルエンザ、AIDSなどのウイルス感染症、ペスト、梅毒、コレラ、結核、発疹チフスなどの細菌感染症、原虫感染症であるマラリアなど、さまざまな病原体によるものが存在する。AIDS、結核、マラリア、コレラなど複数の感染症については世界的な流行が見られるパンデミックの状態にあり、毎年見られる季節性インフルエンザ（A／ソ連、A／香港、B型）の流行も、パンデミックが継続中と言える。ただし、これらの感染症の中でも特に新興感染症あるいは再興感染症が集団発生するケースでは、しばしば流行規模が大きく重篤度（死亡率など）が高くなるものが見られるため、医学的に重要視されている。これらの新興（再興）感染症によるパンデミックはしばしば一般社会からも大きく注目されるため、一般に〝パンデミック〟と呼ぶ場合、これらのケースを指すことも多い」と説明されている。歴史的にも多くの死者を生み出したパンデミックもあったので、「パンデミック↓多数の死者↓文明の滅亡」という暗黒イメージが付きまとい、世界中を不安に陥れていることは間違いない。

しかし、それらを乗り越えてきたのも事実である。医学の進歩、医療の充実があったればこそと思うが、それだけではなく「人類の叡智」なるものが噴出したと考えたい。「そんな神がかった考え方はナンセンス」と一笑に付されそうだが、人間の生命力には計り知れないものがあり、それはまさに予測できない自然の力といってよいものである。AIにはできなくて、哲学者にはできるのである。ゲーテが「対象とぴったり合致し、それによって真の理論となっている繊細なる経験（zarte Empirie）がある。精神的能力のこのような高昇は、しかし、高度に啓発された時代のものである」といったように、ウイルスやパンデミックと真正面から対峙したとき人間生命の奥底から本来の生命力が湧現し、結果、「繊細なる経験」が現実化するのであろう。そう考えれば、少なくとも不安は解消されるに違いない。これがわたしの楽観主義である。

2020年2月29日(土)

早朝のNHKインタビュー番組に俳優の渡辺謙さんが出演していた。『Fukushima 50』がクランクアップされ、3月6日から公開されるという。2011年3月11日の東日本大震災の折、福島原発で戦い続けた吉田所長を中心とする50人の活躍を描いたものである。「絶対風化させてはいけない。空前絶後の大惨事だからこそ最大の教訓としていかなければいけない」という謙さんのことばが刺さった。気仙沼で「K-port」というカフェを経営しながら、被災現場に通い続ける謙さんならではの行動に裏打ちされたことばである。あの時の映像が

ローマ近郊におけるゲーテの肖像（1786年/1787年、ヨハン・ハインリヒ・ヴィルヘルム・ティシュバイン画）（Johann Wolfgang von Goethe：1749―1832；Wikipediaより引用）

流れると思うので、真正面から対峙することができるかどうか自信がないが、ともかく見てみたい。カナディアンロッキーを見ながら白血病克服の体験を涙ながらに語った謙さんの姿が思い出され、彼の真剣な生きざまに大いなる勇気をいただいた。

ＣＯＶＩＤ－19の新型肺炎がますます勢いを増しているのか、3月の小・中・高の休校措置、各種イベントの延期や中止、ウイルス感染のＰＣＲ検査の保険適用などが安倍総理・加藤厚労相より発表された。ＷＨＯも「パンデミックの恐れは非常に高い」とレベルを上げる宣言をした。北海道は感染者数が東京都を超えたとのことで、知事が「非常事態宣言」を行った。ここ1～2週間で拡大か収束かが判断できるというので、やむを得ない措置なのかもしれない。わたしはマスコミ報道を見ていて、死者数の増加などが強調される反面、重症からの回復例などが知らされないのはなぜなのか訝しく思っている。新型肺炎には従来の抗生剤などが効かないのか？　不安を和らげ、安心を与えるような情報が溢れてきてほしいものである。

創価大学でも卒業式の中止が案内された。修了予定者だけの参集による学位記授与式は各学部・学科単位で行う予定で、できる限り一堂に集まる人数を制限したようである。例年ならば池田講堂での５０００人規模の卒業式であるから残念かもしれないが、感染拡大を防止する意義はあると思われる。東日本大震災の時がそうであったように、かえって思い出深く各人の心に刻まれることであろう。

2020年3月2日(月)

安倍総理提案の「小・中・高の休校措置」が本日より実施される。近所は閑散とした雰囲気。TVではその間の保育所運営や給与の保障などが議論されている。また大相撲の無観客実施をはじめとして各種イベントの中止による経済への影響も懸念されている。先週から始まった株価の急落もしばらくは続きそうである。

創価学会でもすべての会合が3月末まで中止となり、訪問・激励も3月15日まで自粛すると発表された。政府の専門家会議で出された「集会での感染拡大、対面での感染確率が高い」という指摘を受けての判断だと思われる。草創期においては皆が集まっての勤行会や唱題会が活発に行われ、強き生命力を湧き立たせて難関を突破したものである。現代では「そうした会合で1人でも感染者が出たらどうするのだ!」というごく一般的な対応で、「難を乗り越える」という発想ではなく「難から後退する」という姿勢である。草創期の姿勢を貫いたら「狂気の沙汰」と言われかねないだろうし、「集まらなくとも1人でも乗り越えることはできる」と反論されるに違いない。

わたしは、牧口初代会長が示された「実験証明主義」や戸田第2代会長が示された「仏とは生命なり」、池田第3代会長が「どこまで人間革命できるかを示すのがわが人生」ということを追体験するのが自分の使命だと考えている。COVID－19のパンデミックであっても対処法は全く変わりなく、仏界の生命の顕現を強く祈ることが大事だと思うのである。

2020年3月10日㈫

1週間執筆を止めていたが、COVID－19の報道でもちきりである。現在のところ、感染者の発生は100カ国以上に及び、世界で10万人を超えている。死者は3000人を超えている反面、回復者も6万人以上と集計されているので、ゆるやかにその勢いは衰えているともいえる。政府専門家会議は9日、今後の国内感染について「当面、感染者の増加傾向が続くと予想され、警戒を緩めるわけにはいかない」とする見解をまとめた。長期化への懸念が高まっているのか、経済面への影響が顕著で株価の乱高下が続いている。

マスクの着用、手洗いの励行、不要不急の外出は避けるなど相変わらずの対策が強調されるばかりで、新薬の開発や回復者の分析の方は遅れているのかほとんど報道されない。

回復者にはいろいろな苦闘があり、それぞれの知恵の発揮があったに違いない。その点を丹念に取材し、共通する行為などが発見できれば大いに勇気づけられるだろう。そうした前向きのマスコミ報道を期待したいものである。

大相撲春場所が無観客のもと始まった。力士はいつものように力を出しているのだが、声援が全くないので変な感じである。TV放映を見ながら、やたら響くぶつかり合いの音にこちらが驚いている。白鵬と鶴竜の両横綱が出場しているので熱戦が期待される。しかし、初日の白鵬―遠藤戦では白鵬の張り手の音がすさまじく、脳震盪を起こしたのかあっけなく遠藤が倒れてしまったので、横綱が休場した方が盛り上がるとうがった見方をしている。大関昇進のかかる朝乃山の活躍に期待したい。今のところ、危なげなく連勝である。

2020年3月11日(水)

東日本大震災から9年が経過したことになる。COVID―19の感染拡大防止の一環として、震災に関する大規模な追悼式などは中止され、各自治体での追悼式となった。復興にはほど遠い状況で、とくに福島原発周辺はその遅れが目立っている。高い防潮堤の建設が行われてきたが、「戻ってくる人がほとんどなく、何のための防潮堤なのか」という現地の人の声が印象に残った。復興庁が中心となって遮二無二計画を進めてきたのだろう。その声を聴きながら、K-portを運営する渡辺謙さんの声を聴くなど、施策の進め方にもう少し柔軟性があってもよいのではないかと思ってしまった。

震災後、「絆」「寄り添う」「共感」「共在」「共生」などのことばが叫ばれてきたが、その実践に関しては時の経過とともに次第に薄れつつある。マスコミには丹念にそうした実態を取材し、ドキュメンタリーとして報道してもらいたいと願う。

一番の問題は福島原発から出る汚染水の問題で、近いうちに貯水槽が満杯となり、新たな貯水槽をつくるスペースもなくなるとのことである。国会審議で「維新の党」が示した「基準値以下に低濃度化された汚染水をタンカーに移し、沖ノ鳥島付近で放流する」という提案は、福島原発沖に放流するという政府案に比べて風評被害を起こさないよい提案だと思う。タンクがなくならないと、デブリを取り出し原発建屋を閉鎖する作業が始まらないというのであるから、福島県民と意見交換しながら早急に決断するべきだと思う。原発の専門家はどのように考えているのだろうか？

2020年3月14日(土)

米トランプ大統領が「緊急事態宣言」を行った。呼応してWHOがCOVID－19のパンデミックを宣言した。アメリカ・イタリア・スペインなどでも感染拡大が起こっているようである。しかし、正確な感染者数や死者数の推移が報道されず、また回復者も多数いるのにもかかわらずその推移も報道されないので、不安やパニックが拡がっている感がある（あとでわかったが、インターネット検索で国内および海外の感染者数・死亡者数・回復者数の推移を見ることができる。それによると、いまだピークには達していない状況である）。

わたしは楽観主義者なので、前述したように全く不安に思っていない。新型コロナウイルスだって「共生したい」傾向性をもっているのだろう。通常ならばヒトの免疫力と拮抗して、たとえ感染しても症状が出ないレベルに落ち着くものと考えている。したがって、免疫力が通常ではなくなっているのである。ストレスによって免疫力が低下することはよく知られたことで、たぶん過剰なストレス反応が世界を覆っているのかもしれない。森林浴剤を入れたお風呂にゆっくりつかりながら鼻歌でも歌っていれば、感染しても症状など出るはずがないのである。もう半年近く経過しているのであるから、どこかの研究チームがそうした疫学的調査結果を発表してもよいはずである。ＷＨＯの研究部門は何をしているのだろうか？　それでいて「パンデミック宣言」であるから、ＷＨＯにももう少し説明責任を果たしてもらいたいと思う。

ギリシャでのオリンピック聖火の採火式が行われたが、東京オリンピックの開催に関しても延期ないしは中止の意見が出始めている。５月上旬が最終判断としながらも、各国ともに参加選手の決定など難題を抱えており、そのためのイベントができないとなれば自動的に延期の方向へ傾くのではないかと推測している。

各種イベントの中止は、わが国をはじめとして経済に大打撃を与えている。株価は乱高下を繰り返しながら、大幅な下落傾向にある。ウイルスによる世界恐慌は前代未聞のことであり、傲慢な人類に対して自然への畏怖を思い起こさせるのではないかと期待される。われわれの人生は金本主義に基づいた経済活動だけに費やされるべきではない。自然の中を逍遥できる時間があれば、「衆生所遊楽」という時間主義的幸福感を満喫できるものと思われる。それはまさに「自然との共生」であり、「自然の中で本来の人間の姿を取り戻す」ことにつながるのである。昔であれば、知識人や評論家がこうした状況になれば重い言葉を発して不安を払拭するのであるが、哲学不在の現代にあってはエセばかりがコメンテーターとしてメディアに登場し、厚顔無恥なる実態をさらしている。わたしはその一員にならないように、ひそかに評論家ならぬ〝芸人〟になる準備を進めている。

2020年3月20日㈮

ＥＵ諸国でもＣＯＶＩＤ－19の感染拡大が起こっている。ＥＵ全体の感染者数は10万人を超えアジアの感染者数を超えた。とくにイタリアが爆発的で死者数が３４０５人となり、中国を抜いて世界最多となった。ドイツのメルケル首相なども「戦後最大の難局」と訴え、渡航や移動を最小限にしようと結束を促している。一方、米国内の感染者数が１万人を超える中、トランプ米政権は19日、ＣＯＶＩＤ－19の感染拡大を阻止するために、日本を含む全世界の渡航警戒レベルを４段階中、最も厳しい「渡航中止・退避勧告」（レベル４）に引き上げ、米国人に対し全ての渡航中止を勧告した。さらに国外にいる米国人の帰国検討も要請しているという。

わが国でも状況はあまり変わりないが、北海道知事が発した「緊急事態宣言」が取り消されるなど、感染拡大に衰えが見えてきたようである。昨晩の専門家会議の会見では、減衰傾向は認めつつも、いつ感染爆発が起こるか予断を許さない状況であるとした。感染爆発についてオーバーシュート・メガクラスターなるカタカナ語をもちだして説明されたが、新たなストレスが付加されたように感じた。

まだまだ先が不透明なので、いよいよ東京オリンピックの開催をめぐって「延期論」や「中止論」がけたたましくなっている。議論しても始まらない問題で、最終的にはWHOとIOCが連携しながら結論を引き出すのだと予想する。生命・ファーストであり、アスリート・ファーストである。

株価の下落は続いており、各国の経済状況は世界恐慌に匹敵するようである。わが国では「消費税減税論」や「現金支給論」が議論されている。どちらも景気浮揚につながると思うが、ともかく迅速に実行されることが望まれる。少しでも未来へつながる光明が見出されれば、不安やストレスが払拭され、国民全体にやる気が戻ってくるに違いない。そのとき元凶であるCOVID－19は忘れ去られているのではないか。

2020年3月25日㈬

わたしの予想とは裏腹にCOVID－19の感染拡大が勢いを増しているようで、東京オリンピックの延期がIOCから発表された。いつになるか未定であるが、来年の夏までを目途としている。小池都知事は会見を行い、COVID－19の感染爆発に関して重大局面を迎えているとしたうえで、今週末の外出自粛を要請した。COVID－19の収束なくして五輪開催はないわけであるから、その会見から都知事の必死さが伝わってきた。

ウイルスの増殖スピードが大腸菌並みであったとすると、20分で倍になるから、11時間ぐらいで100億個に到達する。それにブレーキをかける免疫系が機能しなければ、陽性患者が数日で重篤になるのも理解できる。したがって、軽症者がやがて回復するプロセスに注目し、その治療経過を詳細に追跡することが重要であろう。そこに何らかの克服法が見出せるかもしれないからである。

2020年3月28日(土)

新型コロナウイルスによるCOVID－19の感染拡大を何とか防げないものか？　福岡大のKT教授が、コロナウイルスが感染すると細胞内のミトコンドリア機能が低下することを発表していた。わたしたちが報告した「緑色光がミトコンドリアを活性化する」ということと併せると、森林浴が現在のCOVID－19の感染拡大や症状の進行を抑制できるのではないかと思いついた。さらにネットで調べてみると、中部大のKT教授らが「アオサのヒトコロナウイルス増殖抑制効果」を発表していた。マスコミに誤解を与えたとのことですぐに撤回されたようであるが。この成果も正しいとすると、身体の内側はアオサ汁や青汁を飲むことにより、上気道で増殖しやすいウイルスを抑えられるのではないか？わたしには実験証明ができないので、早速中部大のKT教授にメールを送り、わたしのアイデアを率直に伝えた。

イタリア・スペインをはじめとしてEUでの感染者増加、とくに死亡者の増加が目立っている。相次いで首相や大統領がイベント開催や外出の禁止を訴えているせいか、ローマやパリなどは閑散としている。さらにイギリスのジョンソン首相も感染したと報じられている。

『聖教新聞』でも友人であるSJ麻布大名誉教授が登場し、2回にわたってCOVID－19の対策法を展開している。感染症の拡大を防ぐ方法として、「体内にウイルスを入れない」「ウイルスが身体の中に侵入したとしても体内の免疫力で排除する」「免疫抗体を獲得する」ことをあげている。われわれができることとして1番目と2番目を指摘し、「自分一人だけが助かればいい」という視点ではなく、「共助」や「利他」の精神が大切であると訴えている。そうした精神は「祈り」や「励まし」を促し、「笑みを絶やさず前向きに生きる」ことにつながる。結果、免疫力が高まると結論づけている。同感である。「ストレス」や「不安」という点にはふれられていなかったが、「笑顔」は免疫力の向上だけでなく、ストレスや不安の克服にも結びつくからである。300万部を超える『聖教新聞』に掲載された論考であるから、多くの人々に多大な影響を与えるに違いない。COVID－19収束の起点になればと祈るばかりである。

2020年3月31日㈫

昨日、コメディアンの志村けんさんが新型コロナの犠牲者となった。国内はもとより台湾や香港などでも「日本の喜劇王」の逝去が報道されている。ドリフターズの仲間たちも口をそろえて「早すぎる」と悲痛な思いを伝えている。70歳というからわたしと同年で、若いとき「全員集合」や「バカ殿様」でよく笑ったものである。周りの人たちに、「人に笑いを送るためには自分が真面目に生きることだ」と言っていたそうである。持病もあったそうだが、感染後あまり時間を経ないで重症化して、1週間ぐらい前に緊急入院して治療を受けていたようである。日本中に笑いを振りまく人生を終え、パンデミックのCOVID－19禍を背負って次なる生へ旅立ったのだと思う。合掌。

退官して1年が過ぎた。この間、決意したとおり歯科を除いて病院には行かず、何とか生活を続けてくることができた。自己診断であるが、糖尿病性末梢神経障害（?）による両下肢の感覚異常や痛みには難儀している。「田七人参」「正露丸」「大正胃腸薬」などの漢方薬にはお世話になっている。

1年間新たな生活を経験すると、いろいろとわかってくるものがあった。経済面では年金だけでは無理で、毎月約10万円の持ち出しがあった。貯えが毎年120万円ほど減っていくわけであるから、貯金額から考えて何事もなければ20年ぐらいは生きられそうである。わたしには金本主義的人生観とは別に時間主義的人生観がある。お金をかけないで、豊かな時間を利用しながら、自然を逍遥したり、著作に没頭したり、描画や作曲に没頭することができる。本当に嬉しいかぎりで、1年間の生活で経済的担保を得たので、この4月からは時間主義的人生観に基づいた生活を展開していきたいと考えている。「祈り」を基本とした人生はストレスフリーを促進するだけでなく、「妙の三義」、すなわち「蘇生の義」「円満の義」「開く義」を顕在化させてくれるだろう。問題はそうした生命の躍動をどこの誰に伝えていけるかという点である。

2020年4月2日㈭

創価学会第2代会長・戸田城聖先生の祥月命日である。没後62周年である。第1巻で述べたように、わたしにとって戸田先生の印象は、父・誠也が小岩支部・桐生地区の地区部長を拝命したときの模様だけである。そのとき戸田先生も父もお酒を飲んでいて、「桐生は信心が濁っている。大丈夫か？」「〝誠也《まことなり》〟で頑張ります」というやり取りがあったそうである。父は晩酌しながら、戸田先生の豪放磊落さを笑みを浮かべながら語っていた。『人間革命』はまさに池田先生が戸田先生の広宣流布への活動を詳細に記述したものである。これを機会にもう一度読んでみたい。高校1年の時、学生部のOさんに薦められ、自身の学会活動のきっかけになった。その時の感動がよみがえるに違いない。

　久しぶりに西砂歯科へ行った。入れ歯を支える歯が虫歯になってしまい、ばつが悪そうに入っていったが、主治医のH先生の笑顔に救われた。おまけに技術補助員の女性がチャーミングで、思わず見つめてしまった。虫歯の治療に2～3回、その後入れ歯の修復に3～5回はかかりそうであるが、むしろ楽しみが増えたような気がした。若いころから歯科は苦手で、虫歯をほうっておいて自分の歯がほとんど残っていない。川口にいたころは家の近くの歯科にお世話になっていた。年配の歯科医であまり治療がうまくなく、健康セミナー中に差し歯だった前歯が抜けたことがあった。「歯が抜けても講演を続けた」と評判になったが、今でも思い出すだけで冷や汗が出てくる。歯科医は若い方がいいと思っている。新しい知識や技術を習得しているからである。

2020年4月5日(日)

小池都知事が「週末の外出は極力ひかえて」と訴えていたが、昨日の都内の1日当たりの感染者が3桁になった。まさにオーバーシュート、感染爆発に向かっているようで、マスコミの取り上げ方が危機感に迫っている。とくにひどいアメリカのニューヨークの状況が報道され、感染ピークを迎える前に医療崩壊を起こしかねないという。セントラルパークに仮設の病院をつくり感染者の受け入れ増員をはかる、重症者用の人工呼吸器の確保や増産など、喫緊の課題に対する手が打たれている。

わが国でも状況はあまり変わらないにもかかわらず、的確な対策がスピード感をもって打たれていない。「全世帯に布製マスクを2枚ずつ配布する」と安倍総理が4月1日の会見で提案したので、アメリカでは「すごいエープリルフールだ!」の記事が躍ったそうだ。日本でも「お笑いのネタ」だと揶揄する声が多いが、政府は実行する気でいるらしい? コロナによる経済の低迷を少しでも救済しようと現金給付や消費税率0%が議論されている。しかし、こちらはなかなか決まらないのである。総理の決断力のなさがあからさまとなっている。

2020年4月7日(火)

ついに安倍総理が「緊急事態宣言」を発令した。東京・神奈川・埼玉・千葉・大阪・兵庫・福岡の7都府県で、期間は約1カ月とする方針である。したがって、5月上旬の大型連休までは、各知事にさまざまな権限が与えられ、外出の自粛、学校や百貨店・映画館などの使用禁止、イベント開催の制限・停止などが要請できるようになる。ただほとんどが強制力をもつものではないので、わたしたち国民の自主的な協力が前提となっている。

同時に108兆円規模の緊急経済対策も発表された。そのうち納税や社会保険料の支払い猶予に26兆円、家庭や中小規模事業者に対する給付金として6兆円が盛り込まれ、個人向けでは収入が大幅に減少した世帯に1世帯当たり30万円を給付するという。しかし、自己申告制であることや手続きの複雑さが予想され、それらが徹底され実現されて景気浮揚につながるのかどうか懸念する経済専門家も多い。

現時点での世界の感染者数は120万人を超え、死亡者は6万7510人、回復者は27万4689人となっている。わが国では感染者数が3906人、死亡者は80人、回復者は592人である。世界およびわが国の感染は依然として上昇傾向を示していて、いまだピークには達していない。ニューヨークなどで病院の受け入れベッド数、とりわけICU

のベッド数や人工呼吸器数の不足が報じられ、医療崩壊が起きかねない状況になっているという。わが国でも医療崩壊が懸念され、ここ2週間ほどの推移を収束の方向へ向かわせることが喫緊の課題であると感染病の専門家が訴えている。COVID－19の陰で見えなくなっているが、通常の肺炎やがんなどの入院患者へのしわ寄せが強くなっている。医療現場においても、常日頃から〝冗長性〟の考え方を取り入れる必要性があることを今回の経験は教えている。「今更、そんな呑気なことを！」とお叱りを受けそうであるが。

2020年4月16日㈭

わが国で「緊急事態宣言」が発令されて1週間が経過した。世界の感染者数は190万人を超え、死亡者は12万2879人と倍増、回復者数も50万8994人とほぼ倍増している。わが国では感染者数が8100人、死亡者が119人、回復者が901人である。国内外ともに同じような傾向性を示しつつ、依然としてピークアウトを迎えているわけではない。マスクの着用や手洗いの実施、不要不急の外出禁止などが徹底されるとともに、PCR検査の仕組みがスピード化されることにより「感染爆発から医療崩壊」へのシナリオは阻止できているようである。

わたしには感染の兆候はなく、家族もいたって元気である。照美はテレワークが多くなり、信幸も勤務時間の短縮で、夕食を共にすることが増えている。ついつい太っ腹になってしまい、山形牛や上州牛などが比較的廉価で手に入るようになっているので、ステーキディナーの日が多くなっている。それにしても松阪牛の旨さは格別で値段が早々安くはならないのもうなずける。しかし、旨いものを楽しく食していれば免疫力が落ちることなく新型コロナに罹患することはないだろう。

いまだに感染ルートや感染メカニズムが明らかにされていない。わたしは、感染を助長させるものとして〝不安ストレス〟があると思っている。すでに述べた福岡大のＫＴ教授らのグループが明らかにした「インフルエンザウイルスがミトコンドリアを不活性化させる」ということが新型ウイルスにも当てはまるとすると、その感染を防ぐにはミトコンドリアをより活性化させればよいことになる。ストレスが強いと唾液にムチン質が多くなりネバネバしてくることが知られ、1時間ほどの森林浴でサラサラになるといわれる。新型ウイルスは上気道に付着しやすいので、ネバネバ状態の唾液はその付着を強め、結果、感染を促進することになる。逆にサラサラ状態ならば、唾液とともにウイルスを流してしまうことになろう。それはミトコンドリアの不活性化の防止につながる。ミトコンドリアはエネルギー（ＡＴＰ）産生工場であるから、その活性化は細胞の元気のもとである。それはまた免疫力の向上にもなる。〝我田引水〟的であるが、わたしの持論である「ミトコンドリアはミドリがお好き」を生活に応用すれば、感染防止に貢献できるのではないかと考えている。

こうした視点をもつ人は少なく、ＣＯＶＩＤ－19とストレスを関連づける専門家は皆無である。マスコミも感染爆発や医療崩壊などを喧伝するので、知らないうちに国民に不安ストレスを浴びせている風である。「ストレスの心理学的克服法：Stop–Look–Aware–Choose–Grow」を思い出して、たっぷりある時間を有効活用して「ミトコンドリアはミドリがお好き」を実践してもらいたいものである。

2020年4月21日(火)

世界およびわが国におけるＣＯＶＩＤ－19の感染者数や死亡者数は連日報告されているが、前日と比較した増加数は幾分減少傾向を示している。しかし、いまだ予断を許さない状況が続いていることは間違いない。その間、子どもは自宅待機、一部の大人はテレワークという新たなライフスタイルを強いられ、家庭内ＤＶなどが増加するなどかなりのストレス状態が続いているらしい。政府の「1世帯30万円の給付」から変更された「一律1人

10万円の給付」も5月中旬からの実施ということで、そのスピード感のなさに呆れる人も出ている。

マスコミもマスコミで、「不要不急の外出禁止」の実態を報道しようと、公園や川沿いをウォーキングする人々に訝しそうな眼差しで取材している。かといって、渋谷や浅草などが閑散としている光景に、「取材する意味がない」ことを暗に示す表情を見せながら、「繁華街では要請が守られています！」などと言っている。マスコミ人もストレスを抱え、それが垂れ流されることによってわたしたちもストレスを受ける。「新型コロナウイルスのパンデミックによるストレス」について少し考え、論考として毎日新聞社あたりに投稿してみよう。

2020年4月23日㈭

相変わらずのコロナ禍が続いている。女優で人気番組の司会を務めた岡江久美子さんが亡くなった。乳がんの放射線治療を通院で受けていたようだが、4月3日に発熱、6日に容体が急変して入院、PCR検査で陽性が判明したという。その後の治療のかいもなく、新型コロナによる肺炎で死亡したと報じられている。志村けんさんに続く有名人の訃報で、

TVでは〝元気キャラ〟で通っていたので、インタビューを受ける人々が皆驚きを隠せない。放射線治療による免疫力の低下が重症化を促したのではないかと推測されている。

「緊急事態宣言」以来、不要不急の外出禁止、3密を避ける行動、マスクの着用と手洗いの実行などが要請として訴えられている。この週末が重要なポイントとして注目されているが、収束に向かうのか、それとも感染拡大は続くのかという二つの視点だけでなく、抜本的な分析を含めて施策の変更も視野に入れなければいけないのではないか。「免疫抗体の有無」をめぐる疫学的調査が開始されたことは吉報である。わたしはすでに述べてきたが、「免疫力」と「不安ストレス」を可視化することが大事だと考えている。従来の施策によってウイルスの感染力を弱くさせることはできると思うが、受け手側である人間の「免疫力」をベースとする「自然治癒力」も弱めてしまうのではないか。「○○してはいけない」とネガティブキャンペーンを張るのではなく、「△△しようよ」というポジティブキャンペーンの方が効果的なのではないかと思っている。

新型コロナウイルスについては各国で精力的な研究が進められているものの、感染および重症化のメカニズムをはじめとして不明な点が多い。しかし、中国の武漢市や台湾など鎮静化が実現できた地域も出てきたので、そういった地域での成功に至った対策に注目が集まっている。感染方法も初期には接触感染が重要視されていたが、飛沫感染やエアロゾル感染も考えられている。接触感染や飛沫感染ならば手洗いの励行やマスクの着用で防ぎようがあるかもしれない。エアロゾル感染は空気中にエアロゾル（気体の中に微粒子が多数浮かんだ物質）として浮遊しているウイルスが付着したり吸入されたりして起こるわけであるから、簡単には防ぎようがないだろう。したがって、いま打たれている施策は前2者の感染には有効かもしれないが、エアロゾル感染には無効のように思われる。

一方治療に関して、世界的な連携のもとワクチンや特効薬の開発が急がれている。アビガンは富山大学医学部・白木公康教授と富士フイルム富山化学が共同研究で開発した核酸アナログでＲＮＡ依存性ＲＮＡポリメラーゼ阻害剤であり、新型コロナに有効であるという治験が出始めている。成功例が増えて、アビガンの増産も達成できれば、ＰＣＲ陽性患者や軽症患者への使用が期待できるだろう。

ＣＯＶＩＤ－19の感染状況が今後どうなるか、5月中旬までには収束に向かうか依然として感染拡大を続けるか、という傾向性がはっきりするだろう。後者の場合、わたしはいよいよ「不安ストレスが原因である」という論考を展開したいと考えている。

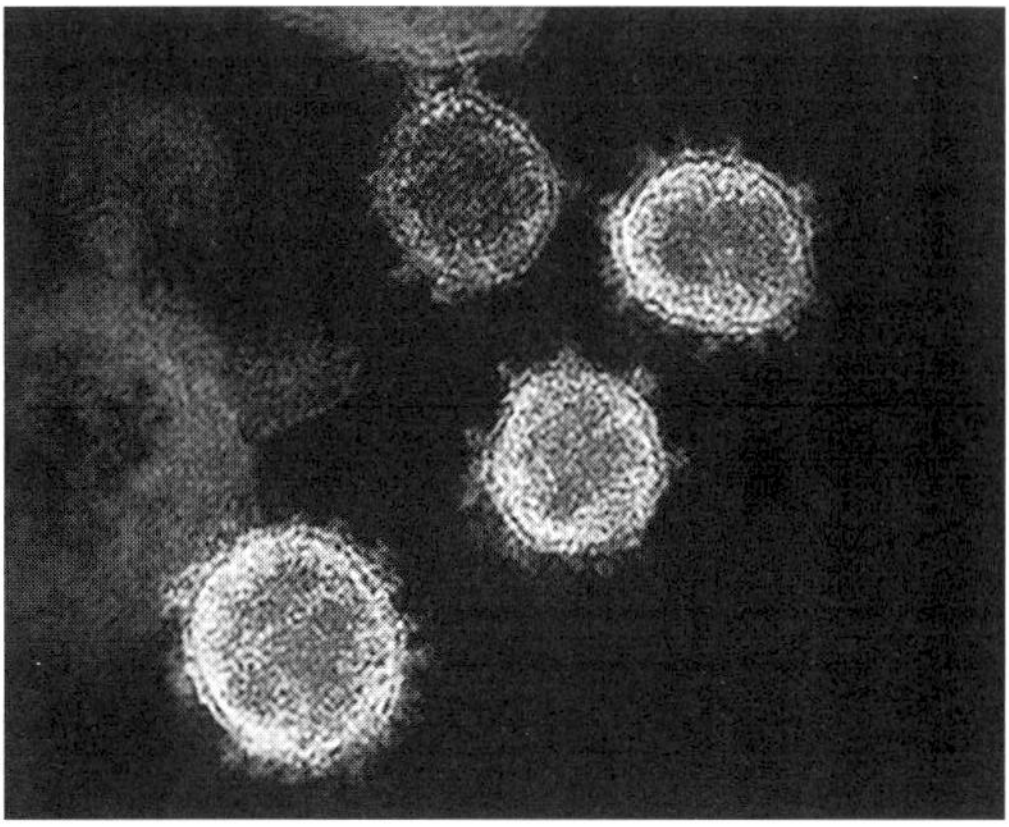

2019新型コロナウイルス（SARSコロナウイルス－2）の電子顕微鏡写真（Wikipediaより）

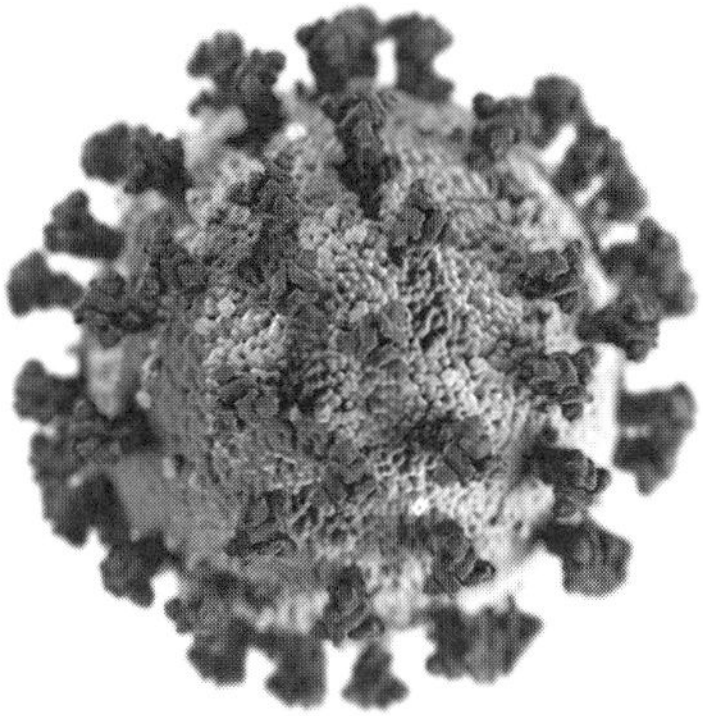

模式的なCOVID-19：直径50－100nm、赤い突起：スパイクタンパク、灰色の被膜：エンベロープ、黄色の付着物：エンベロープタンパク、オレンジ色の付着物：膜タンパク（Wikipediaより）

2020年4月25日(土)

アメリカ・ホワイトハウスは、政府機関による謎めいた研究結果を発表した。トランプ大統領の定例会見の折、国土安全保障省長官の科学技術顧問を務めるウィリアム・ブライアン氏が4月23日に「太陽光によって新型コロナが急速に不活性化することがわかった」と明らかにしたのである。実験はメリーランド州の国立生物兵器分析対策センター（NBACC）で実施されたという。示されたスライドによると、ステンレス製の無孔質の表面上のウイルス量の半減期は気温21〜24度、湿度80％の暗所で6時間だったが、太陽光が当たると半減期は2分にまで縮まったそうである。新型ウイルスが空気中に漂う状態になった場合の半減期は温度21〜24度、湿度20％の暗所で1時間だったのが、太陽光が当たると1分半にまで減少した。太陽光に含まれる紫外線がその不活性化をもたらすと考えられている。データや論文が未公開なので、早急に詳細な結果が発表されることが期待されている。

わたしたちは、ヒト由来の脳腫瘍細胞に青色レーザー（405 nm, 27 mW, 20-60 min）を照射すると細胞死が誘導されることを報告した（Foong Yee Ang et al.: Immunocytochemical studies on the effect of 405-nm low-power laser irradiation on human-derived A-172 glioblastoma

樹々の間の木漏れ日はわたしたちを和ませる！

沈む夕日のページェント！

cells, *Lasers in Medical Science*, 27, 935–942. 2012)。ウイルスと細胞の違いがあるものの、紫外線や青色系の光は生物にダメージを与えることが知られているので、新型コロナに関する発表には妥当性があると感じている。近未来にその効果の再現性が確認できれば、画期的な予防法や治療法に結びつくと考えられる。ワクチン開発より時間もかからず、予算も少なくて済みそうである。こうした研究成果による希望の光はわたしが主張する「不安ストレス」も軽減するに違いない。

2020年4月28日(火)

立宗記念日である。1253(建長5)年4月28日に、日蓮大聖人が安房国清澄寺で立教開宗する。御年32歳であった(いかなる符節か、池田大作先生が創価学会・第3代会長に就任したのも32歳であった)。ここに日蓮大聖人の年譜を『日蓮大聖人の生涯を歩く』(佐藤弘夫・小林正博・小島信泰共著、第三文明社、1999年)を参考として抜粋しておく。

日蓮大聖人・年譜

1222年（承久4年）2月16日　安房国東条郷片海（通説は小湊）に「海人が子」として生まれる

1233年（天福元年）4月15日　安房国東条郷の天台宗清澄寺に入山（12歳）このころ虚空蔵菩薩に「日本第一の智者となし給へ」との誓願をする

1237年（嘉禎3年）　道善房を師として出家し是聖房と称する（16歳）

1238年（暦仁元年）11月14日　「授決円多羅義集唐決」を清澄寺で書写する（17歳）
このころ鎌倉に遊学する

1242年（仁治3年）　清澄寺で「戒体即身成仏義」を著したといわれる（21歳）
このころ京都比叡山などに遊学する

1251年（建長3年）11月24日　京都市中富小路付近で「五輪九字明秘密義釈」を書写（30歳）

1253年（建長5年）　4月28日　安房国東条郷清澄寺で立教開宗する（32歳）

このころ清澄寺の領家に代わって東条景信との訴訟を勝利に導く

このころ日蓮と名乗る

東条景信によって清澄寺を追われ、浄顕房・義城房にかくまわれる

鎌倉に出て、松葉ヶ谷に草庵を結ぶ

1258年（正嘉2年）　このころ駿河国岩本実相寺で一切経を閲覧する（37歳）

このころ日興上人が入門する

1259年（正元元年）　「守護国家論」を著す（38歳）

1260年（文応元年）　5月28日　鎌倉名越で「唱法華題目抄」を著す（39歳）

7月16日　「立正安国論」を著し、宿屋禅門を介して鎌倉幕府前執権・北条時頼に上奏する

「松葉ヶ谷の法難」に遭い、一時鎌倉を離れる

1261年（弘長元年）　5月12日　「伊豆流罪」、伊東八郎左衛門尉の預かりとなる

（40歳）

1263年（弘長3年）　2月22日　伊豆流罪を赦免される（42歳）

1264年（文永元年）　病身の母を祈り寿命を4年間延ばす（43歳）

11月11日　安房国東条郷で「小松原法難」に遭う

1266年（文永3年）　この年「法華経題目抄」を著す（45歳）

1268年（文永5年）　1月18日　蒙古国の牒状が来る（47歳）

4月5日　「安国論御勘由来」を著し、預言的中後の諫暁を開始する

8月21日　「宿屋入道への御状」を著す

1269年（文永6年）　12月8日　「立正安国論」を書写し、奥書を記す（48歳）

1271年（文永8年）　6月18日　極楽寺良観と祈雨の対決、良観の修法失敗、雨降らず（50歳）

7月13日　浄土僧・行敏の問難に対し公場での法論を望む返書を送る

この直後に良観・良忠・道教らが行敏の名で幕府に提起した訴状に論難を加える

9月12日　「竜の口の法難」
9月13日　竜の口の刑場での斬首を免れ、相模国愛甲郡依智の本間六郎左衛門尉の邸宅に送られる
10月10日　「佐渡流罪」となり、依智を発って佐渡へ向かう
11月1日　越後国寺泊の港を経て佐渡塚原三昧堂に到着する

1272年（文永9年）
1月16日　塚原問答（51歳）
2月　「開目抄」を著す
4月ごろ　石田郷一谷に居を移される

1273年（文永10年）
4月25日　「観心本尊抄」を著す（52歳）
12月7日　武蔵の前司（北条宣時）佐渡の国へ虚御教書を下す

1274年（文永11年）
2月14日　幕府、佐渡流罪の赦免状を発する（53歳）
3月8日　赦免状が佐渡に到着する
3月14日　前日鎌倉に向けて一谷を出発するが、出航できず網羅の津に留まる
3月15日　寺泊に行く予定であったが、大風によって流され

る

3月26日　柏崎・国府を通って鎌倉に到着

4月8日　平頼綱と会見し、蒙古襲来の時期について進言する

5月12日　鎌倉を出発する

5月17日　甲斐国波木井郷にある身延山に到着する

5月24日　「法華取要抄」を著す

6月17日　仮の庵室完成

10月　蒙古襲来（文永の役）

1275年（建治元年）4月16日　父康光によって信心を反対された池上兄弟に宛てて「兄弟抄」を著す

この年「撰時抄」を著す（54歳）

1276年（建治2年）7月21日　師道善房の死去に際し「報恩抄」を著し、清澄寺の浄顕房・義城房に送る（55歳）

1277年（建治3年）4月10日　「四信五品抄」を著す（56歳）

6月　因幡房日永の帰依を咎めた下山兵庫光基に宛てて

6月25日　「下山御消息」を著し、本人に代わって弁明する
桑ヶ谷問答で生じた主君江間氏の怒りに対して、四条金吾に代わって「頼基陳状」を著す
12月30日　「下痢」（くだりはら）をわずらう
1278年（弘安元年）3月ごろ　日興ら四十九院の供僧4名が「四十九院申状」を幕府に提出し、同院の寺務厳誉の不当を訴える（57歳）
6月3日　「下痢」が悪化する
7月27日　佐渡の阿仏房が身延を訪れる
9月　「本尊問答抄」を著す
1279年（弘安2年）3月21日　阿仏房が死去する（58歳）
4月　滝泉寺院主代行智が富士郡下方の政所代と結託し、熱原浅間神社神事の流鏑馬の最中に信徒・四郎に刀傷を負わせる
7月2日　阿仏房の子・藤九郎守綱、父の遺骨を身延に納める

8月　行智ら、信徒・弥四郎の頸を切る
9月21日　行智、日秀らを刈田狼藉の咎で幕府に訴え、信徒の農民20名が逮捕され鎌倉へ連行される
10月1日　「聖人御難事」を著し、自らの信仰の完成を宣言する
10月　日秀らに代わって幕府に提出する申状を起草し、行智の不法を指摘する
10月　神四郎・弥五郎・弥六郎ら、平頼綱によって斬首の刑に処せられる（熱原の法難）

1280年（弘安3年）
7月1日　再び佐渡より藤九郎守綱が来訪し、父阿仏房の墓に詣でる（59歳）

1281年（弘安4年）
5月　蒙古襲来（弘安の役）（60歳）
11月24日　身延の十間四面の大坊が完成する

1282年（弘安5年）
3月1〜4日　南条時光、病床の師を見舞う（61歳）
9月　身延を下山
9月18日　武蔵国池上に入る

10月8日　本弟子6名（日昭・日朗・日興・日向・日頂・日持）を定める
10月13日　午前8時ごろ、池上宗仲邸にて入滅する

改めて日蓮大聖人の生涯を記してみて、まさに疾風怒濤の人生であったことが胸に突き刺さってくる。青春時代に『日蓮大聖人御書』（創価学会版）を学んでいたときは、〝だから末法の御本仏〟だと信心で受け止めるばかりで、〝人間・日蓮大聖人〟という視点は皆無であった。池田先生のスピーチにはその視点での指導があったはずであるが、わたしは自分自身を含めて「人間・日蓮大聖人」への洞察が欠落していたのかもしれない。69歳という年齢に達して、この『自然死への歩み』でわが人生を顧みると、日蓮大聖人の凄まじいばかりの生涯が少しばかり感じ取れるようになった気がする。

出家から立宗宣言まで16年間、鎌倉・静岡・畿内・高野山で修学した期間であるが、高僧について教説を聴講するだけなく、それぞれの寺院に所蔵されている膨大な経典をどれほど読破していったのか。岩本実相寺での一切経の閲覧は3000巻に及ぶともいわれる。1日1巻のペースならば、そこだけで10年かかってしまう。猛スピードで閲覧しながら、経典の内容を的確に理解したとすれば、大聖人の〝脳力〟はいったいどういうものだった

のか、不思議でならない。自分が選択した経典の真意（?）を展開することはほかの鎌倉仏教の始祖も行っているが、それだけでなく大聖人は各教典の比較相対を掘り下げたうえで「法華経」を最高の経典と位置づけ、「妙法蓮華経に帰依する」という「南無妙法蓮華経」の題目へ到達したと思われる。最高の生命境界である「仏界」の顕現なくして、それは不可能ではなかったか。仏界の生命の顕現は必然的に「菩薩界」の慈悲の行動へ連動し、生涯をかけて万民救済の実践を貫くことになったのではないかと考える。

立宗宣言以後もすさまじい人生は続く。『立正安国論』の上奏が契機となったと思われるが、松葉ヶ谷や小松原での襲撃を受けたとき生命を落としていても不思議ではない。実際、「小松原の法難」で工藤吉隆や鏡忍房は生命を落としている。竜の口は刑場で、まさに斬首されようとしたわけである。「伊豆流罪」はともかく、極寒の「佐渡流罪」を経験しても生命をつないできた。そればかりか、そうした状況にあっても常に重要な法門を著し、弟子たちには温かい激励の手紙を送っている。そして、最終的に弟子たちが斬首されるという「熱原の法難」を契機に「一閻浮提総与の御本尊」を著し、『聖人御難事』でその御本尊を「出世の本懐」と宣言した。

わたしが日蓮大聖人について述べることはおこがましい限りである。しかし、わたし自身御本尊に向かい題目を唱え、生命力を湧き立たせながら何度かの病気や難関を克服してきた。いままたＣＯＶＩＤ－19が席巻しているが、わたしには不安ストレスはなく免疫力も健常にはたらいているようである。日蓮仏法にはまさに仏界を湧現させる力があるとわたしは確信している。ゆえに、そうしたわたしの拙い実験証明の経験を記し残すことは無駄ではないと思っている。科学者として、もう少し実証的な理論にまで昇華させないといけないが。

２０２０年４月29日㈬

43回目の結婚記念日である。この日は昭和天皇の誕生日で、昭和時代は「天皇誕生日」、その後「みどりの日」になり、今は「昭和の日」と変遷してきた。敦子からは梨の礫で、一人でビールを飲みながら43年間の歩みを回顧している。栄一・健司・信幸・照美と４人の子どもが生まれ、それぞれが立派に成長している。栄一と健司はそれぞれ家庭を築き、日希ちゃんと環君・佑君の孫たちを育てている。わたしたち両親の仕事を継ぐ者はいないが、それぞれが個性的な生き方をしていることは嬉しいかぎりである。皆が今回のＣＯＶＩＤ－19を乗り越え、ますます元気で活躍していってくれることを切に祈る。

新型コロナの方はＧＷ明けにもピークアウトする傾向は見られず、どうやら緊急事態宣言の延長になりそうである。アメリカ・イギリス・韓国などでは一部経済活動が再開され始めているので、わが国もそのうち追随するかもしれないが。

2020年5月3日(日)

今日は「憲法記念日」であるが、「創価学会の日」でもある。池田先生が第3代会長に就任して60周年、戸田先生亡き後の学会をどれほど発展たらしめたか。本日の『聖教新聞』では、なかでも特に教育事業に焦点を当てて特集を組んでいる。創価大学・アメリカ創価大学・創価女子短期大学のほか、東京および関西の創価学園、ブラジル創価学園、さらに創価幼稚園は札幌のほか韓国・香港・マレーシア・シンガポールにも設立されてきた。すごいことである。現状の21世紀は地球温暖化やコロナウイルス禍など厳しい状態にあるが、今世紀後半には、創価教育の場で池田思想を根底に知識を身につけ知恵を発揮できるあまたの人材が世界を舞台に活躍するようになるだろう。願わくば、近未来において医学部が設立され、慈悲の精神をもった医師たちが輩出されんことを！

長女・照美の30歳の誕生日でもある。わが家にとって待望の女の子であり、しかも5月3日であり、池田先生より「照美」と命名してもらったので、多くの人々に祝福してもらった。1993年7月にオスロでの国際てんかん学会に参加し、その帰路ドイツのネアンデルタールの座談会に参加した。そのとき照美の誕生のいきさつを話し、多くのドイツSGIメンバーが心から喜んでくれたことが忘れられない。敦子からいろいろなプレゼントが届き、照美はご満悦である。わたしには厳しいが、敦子の子どもへの心配りを感じ、その辺は全く変わりないので安心である。

2020年5月9日(土)

COVID−19の感染拡大の傾向はやや鈍ってきているが、依然として、外出自粛など慎重な訴えかけが続いている。しかし、経済状況の方がもたないとして、大阪をはじめとして緩和の方向へ舵を切ろうとする自治体も出てきた。東京都も新たな感染者数は5日連続2桁台なので、そろそろピークアウトを迎えそうだと予測する人が出てきている。

本日の午後、YTグループでZOOMを使ったミーティングを行った。ホストはYTさんで、Kさん・OJさん・わたし・NM医師・Fさんが参加した。PC上に参加者の顔が映るので、発言とともに表情もわかり、テレミーティングでも有意義なディスカッションをすることができた。各人の近況報告から始まり、何といってもコロナ禍の話題で盛り上がった。それぞれコーヒーやウーロン茶をＰＣのそばに用意しておいて、時々それらを飲みながら、気づいたら３時間が経過していたという具合である。皆、彼らの家族や身近な人たちの中に感染者はおらず、緊急事態宣言で打ち出された方針を励行しているようであった。

わたしは、受け手側の問題、すなわち「ストレスの軽減策」を提案したが、あまりインパクトはなかったようである。確かに森林浴や緑光浴のため外出してウォーキングするなどもってのほかの行動になるかもしれない。現状を受け入れてそのとおり行動している創価学会や公明党を基本的には認めているわけだから、無理もないとも思った。

ＺＯＯＭミーティングではビールを飲みながら、焼き鳥を食べながらというわけにはいかないので（別にそうしてもよいのだが）、わたしにはイマイチ不満が残った。ＹＢさんやＲさんには連絡しなかったが、李朝園の絶品の焼肉が恋しくなってしまった。ちなみに吉祥寺はかなりの人出だそうだ。早くピークアウトして宣言が解除されることを祈りたい。

2020年5月14日㈭

本日、画面が妙に暗くなってしまった旧式ＴＶに代わって液晶型・４ＫのソニーＴＶ

が搬入された。旧式の方は20年近く貢献してくれた。だいたい10年が寿命といわれるから、思わず「ご苦労さま」と声をかけたい気持ちになった。それにしても新型液晶テレビの画像は美しいものである。明日入間ケーブルテレビの技術員が来宅し、ＢＳ放送やケーブルテレビのセッティングをしてくれることになっている。これからの放送が楽しみである。

この1週間、『自然死への歩み①（２０１9年8月3日〜12月31日）』の最終チェックを終え、文芸社の「第3回人生十人十色大賞」へＷｅｂサイトから投稿した。昨年の後半の出来事や思い出やらを日記風にまとめたもので、自分としてはよい出来栄えなのではないかと思っている。原稿にして４００字・２５０枚ほどである。人生・最終章の生き方を「かくあるべし」と説諭するような書物とはちがって、ありのままの姿を綴ったつもりである。「自然死」とはわたしが理想とする死の迎え方で、最低限の医療にはお世話になるつもりだが（歯科や鎮痛医療など）、「自身の自然治癒力が尽きればそれを受容する」というものである。いわば、検査拒否・治療拒否をベースとしてパターナリズム（医師が上で患者が下）に対峙し、患者のオートノミー（自己決定権）を尊重するというものである。わたしが決めたことであり、ほかの人々に同調を求めるものでは決してない。

そのほか創価学会員としての行動や思い、父「誠也（まことなり）」の生きざま、群馬大学・大学院10年間の歩みと2人の恩師、妻・敦子との結婚や現在の別居状態のことなど、思いつくままに書き込んだ。創価大学へ赴任してからの学生や大学院生たちとの共同研究、そして国際学会での発表などにもふれてある。通して「わたしは本当に運がよかった」ことが読者に伝わることを願ってやまない。２０２０年のことはいま綴っているように第2巻としてまとめ、そのときが来るまで年1巻のペースで書き続けたいと思っている。これはわたしの「認知症にならない」宣言でもある。

夕方に安倍総理の会見があり、39県の「緊急事態」解除を発表した。北海道・東京・神奈川・埼玉・千葉・大阪・京都・兵庫の8都道府県については引き続き経過観察するとした。感染者数の減少傾向がみられた地域や病床に余裕があるところが解除の対象になったとのことである。しかし、第2波・第3波の感染拡大が起こる可能性もあり、解除内容の選別は各自治体に任せられることになった。医師をはじめとする専門家会議の検討結果だけでなく、倒産件数の増加や経済状況の悪化なども加味されたものと思われる。今後の推移が懸念されるが、全国的に解除されること、第2波が起こらないことを祈り続けたい。

２０２０年５月18日(月)

39県の緊急事態宣言の解除発表後、初めての週明けである。週末の人出は増加したようだが、新たな感染者は全国で24人、東京で5人と報告された。世界的にはアメリカやEUでは減少傾向を示し、ブラジルでは増加傾向を示している。経済活動も徐々に復活しつつあり、笑顔でインタビューを受ける人が増えている感じである。ただ第2波を懸念して、今までどおりの3密を避けること、マスクの着用や手洗い・うがいの励行を続けるという健気な声も聞かれる。

昨晩のNHKスペシャルで「新型コロナウイルス　ビッグデータで闘う」が放送された。新型コロナに関する論文がここ2〜3カ月の間にすさまじい勢いで発表され、専門家といえども詳細な分析ができていないとのことで、AIによるビッグデータの解析が進められているという。その結果、「コロナウイルスの遺伝子変異」「重症化のメカニズム」「感染防止策」「ワクチンの開発」などがクローズアップされ、それらに焦点を当てた国際プロジェクト研究によってCOVID−19の全貌が近未来において明らかにされるだろうということであった。山中伸弥教授もコメンテーターとして登場し、AIによる解析のスピードと精度を高く評価し、第2波・第3波と繰り返したとしても適切な対応が可能となるに違いないと述べていた。AIが選んだキーワードの中に「ストレス」があったのだが、そこにはふれられていなかった。続編に期待したいものである。

昨日は久しぶりに買い出しに出かけた。すぐ近くのジョイフルであったが、かなりの人出で、マスクをしながら日用品や食料品を買い込んだ。昼ご飯抜きで行ったのでクタクタに疲れてしまった。片づけは照美に任せ、焼きそばパンを食べて横になった。コロナにわたしも感染したかと思ったが、1時間ほどの睡眠で回復したので安心した。それにしても、ここのところの気温の変動に体調不良が続いている。

元気を取り戻すためには〝肉〟だと決め、昨日求めた会津牛のステーキディィナーとなった。焼き加減をレアにしてみたところすこぶる美味で、照美・信幸も大満足であった。今まで松阪牛が一番と思っていたが、値段の割に旨さも凌駕したようだ。コロナ禍によるさまざまなストレスを会津牛ステーキが吹き飛ばしてくれ、ビールがますます進む。わたしたちの笑顔を見れば(?)、コロナウイルスも意気消沈してしまうのではないか。「1人一律10万円」の現金給付を会津牛ステーキ（ジョイフル本田では1枚1000円前後）に費やせば、100回楽しむことができる。週2回のステーキディィナーとしても50週、約1年はもつので、第2波・第3波が来ても無事に乗り越えられるに違いない。楽観的に対処した方がよいと、ここで断言しておこう。

2020年5月21日(木)

関西3府県の緊急事態宣言は解除の方向である。北海道と首都圏はいまだ経過観察状態である。人出も次第に多くなり、営業再開する店舗や企業も増えているところから、国民全体に明るさや希望が広がっているのではないか。わたしは「不安ストレスこそ感染拡大と重症化の原因」と考えてきたので、多分ストレスを克服する方法を各人が見つけ出しつつあるのではないかと思っている。

今日の『聖教新聞』一面から二面にかけて、ウイルス学を専門とするYN東海大医学部教授へのインタビュー記事が掲載されている。新型コロナウイルスの感染は人間の細胞膜にある「ACE2」(Angiotensin-converting enzyme 2:アンジオテンシン変換酵素II)タンパクにウイルスが結合するところから始まるという。ACE2は肺の奥の細胞に多く発現しているところから重症肺炎が起きやすい。また、心臓や腎臓にも発現しているので多臓器不全にもつながりやすいといわれる。舌の細胞でも発現しているので味覚障害も説明できると、最近の知見に基づいた明瞭な説明をされている。ウイルスへの抗体をつくらせるワクチン開発も1年半ほどで実現できるのではないかと述べている。結論的に、「ウイルスからの挑戦には人類の知恵と絆で応戦」「希望は正しい知識と行動から」と結んでいる。

YN教授とは以前に一緒に仕事をしたことがあったので、立派になったものだと感じた。

コロナ禍で大変な最中、国会では黒川東京高検検事長の定年延長や検事総長への昇格を可能とする「検察庁法改正案」が審議されてきた。法案の内容もさることながら、今度は黒川検事長と新聞記者仲間の「賭けマージャン疑惑」が浮上した。検察のトップと目されていた人が「賭けマージャン」とは？ どうやら法案の廃案と黒川検事長の辞任で幕引きが行われる方向である。この国の為政者や高級官僚の品格のなさに呆れてものがいえない状態である。

2020年5月26日㈫

昨晩、安倍総理の記者会見が行われ、残っていた5都道県の緊急事態宣言が解除された。全国規模で解除されたことになる。しかし、一斉にフリーにするわけでなく、自治体に任せながら段階的解除を行っていくという提案であった。また第2波が来れば、再びの緊急事態宣言を行う可能性も示唆した。

発令されたのが4月7日であるから、約1カ月半、国民がマスクの着用・手洗い・外出の自粛・3密回避など懸命に励行してきた結果だと思う。感染者数の激減もさることながら、倒産の増加を含め経済状況の悪化も解除の理由にあげられていた。街角でインタビューを受けるサラリーマンも安堵の表情を示しつつも、感染拡大の再来を危惧していた。報道番組では、この1カ月半の経験が貴重であったとして、再来してもその経験を活かせば乗り越えられると楽観視していた。

わが家にもアベノマスクが届き、照美などは「第2波用なの？」と訝しがっている。わたしはいろいろな番組を見ながら、インタビューを受ける人たちやマスコミ関係者の表情から「笑顔が多くなった！　ずいぶんと不安ストレスが減ったのではないか！」と判断して、国民一人ひとりが何らかのストレス克服法を発見し、無意識のうちに免疫力を高めたのではないかと考えている。もしそうだとすると、第2波の再来はなく、この夏ぐらいに収束するに違いない。

2020年5月31日(日)

コロナ禍も収束かと思っていたところ、北九州市でクラスターが発生し、第2波到来かと騒がれている。東京都もここ2日、2桁台の新規感染者が報告され、今後の動向が注目されている。感染症の専門家は必ず第2波・第3波が起こると警告しているが、わたしは半年間の経験が活きて振動しつつも6月には落ち着くものと楽観視している。

昨日のBS放送で「コロナ新時代への提言〜変容する人間・社会・倫理〜」が再放映された（実際は5月23日放映）。ZOOMミーティングで、京都大学総長でゴリラ研究の第一人者・山極寿一氏、東京大学准教授の哲学者・國分功一郎氏、そして青山学院大学教授の歴史学者（疾病史）・飯島渉氏の3名が出演していた。途中から見たので3者の主張する内容を正確に理解したわけではないが、科学というよりは哲学的観点からの議論を望んでいたわたしにとってはタイムリーで実に有益なものであった。

とくに、若い國分氏がイタリアの哲学者であるジョルジョ・アガンベンの論考を参考にして、コロナ禍における「見えない死」と「移動の不自由」を指摘していた点が大変に興味深かった。なぜなら30年ほど前に、東洋哲学研究所で「友人葬」について議論していたとき、当時のアメリカの社会学者たちが「死が死につつある」と警告していたことを思い出したからである。彼らは都市化や医療技術の進歩、核家族化や無宗教層の増加、そして老人や「死」を排除しようとする時代社会の変容をその根拠としてあげていた。その結果、「老人を個人としても機能的な意味においても軽視し社会的に遊離させる」、また「核家族の中で経験する死は青少年に対しより大きな苦痛を与える」という歪みをもたらすとしたのであった（石川弘義『死の社会心理』金子書房、1990年）。

岡江久美子さんの死に際しての一連の扱い、ご主人の大和田獏さんが（遺体にも立ち会えず）遺骨をもって報道陣の前に現れたこと、そこに30年前よりさらに先鋭化されたコロナ禍における「死が死んだ」様相を感じ取った。

「哲学は死の学習」というソクラテスの言葉があるが、「他者の死」からしか「死」は学習できないのであるから、「見えない死」から「見える死」への逆行はまさに「哲学の復権」につながるものであろう。ネアンデルタール人の遺跡から推測される埋葬の儀式はその第一歩であり、霊長類における偉大なる進化の

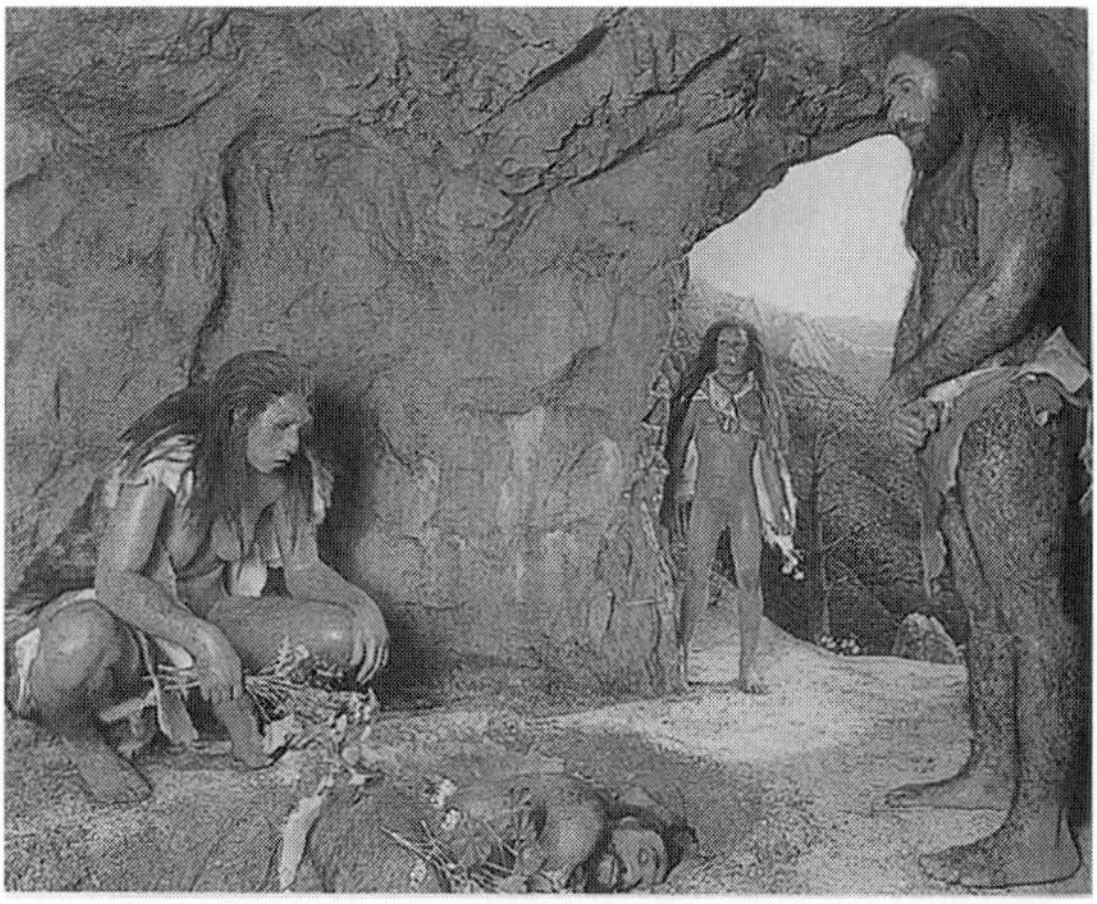

高度なネアンデルタール文化の一例：遺骨の周りの積み石や花粉や種子の存在に基づく推定画像

（赤澤威編著『ネアンデルタール人の正体』朝日新聞社、2005年）

先駆けとなった（この辺のことに山極氏がふれると期待したが……）。「死」を直視することで「生」を充実させてきたのが人類の歴史である。逆に「死」を軽視すれば「生」も希薄化しかねない。感染症だからといって、パンデミックだからといって、安易に「見えない死」を受け入れてしまうのはネアンデルタール人に申し訳ないとわたしは思うのである（「遺体に接し感染して死んだらどうするのだ！」という意見もあろうが、ここでは「人間はそんなにやわではない！」とだけ言っておこう）。以前に述べた「科学至上主義」が衰退するどころかさらに勢いを増している。この辺のことに気づいていると思われる、若い國分氏の今後の活躍に大いに期待したいものである。

2020年6月2日㈫

昨日、2カ月ぶりに散髪することができた。ずいぶんと伸びてしまって鬱陶しく感じていたのだが、とてもスッキリした。いつもお世話になっていたQBhouseが営業再開となり、3密状態を避けることはもとより、予約制を取り入れてくれたのはとてもよい対策だと思った。順番が来るまで2時間余り、食事や買い出しもでき、外出自粛のストレスも十分に発散することができた。コロナ禍でもただでは起きない人々の知恵を発見して、右往左往する政治家やマスコミ・評論家の脆弱性を見る思いであった。

今日は瑞穂モールへ行ったところ、フードコートが開業していた。中国料理店「茉莉花」の「八宝菜定食」を久しぶりに堪能した。スープよし、八宝菜よし、ご飯よしである！　おまけにシェフの笑顔がこれまたよしである。美味なる食事をゆったりと楽しめればコロナも寄りつかないし、たとえ口腔内に入ってきても十分な唾液で流されてしまうだろう。

同じ東京都であっても、23区内と区外・多摩地域とでは感染者数に2桁の開きがなぜあるのだろうか？　瑞穂町はずっと感染者1人のままで推移している。3密を避けるなど同じようなことを励行しているし、この辺から都心へ通勤している人も多い。感染者の発生初期からの違いを反映しているのだろうか、なかなかうまい説明がつかない。わたしの持論である「不安ストレスによる免疫力の低下」の方が的確に説明できるのではないだろうか。郊外の緑の多さに基づく「ミトコンドリア活性の上昇」を科学的に実証してくれる人はいないだろうか、あまりに他力本願過ぎるか。

2020年6月4日㈭

先日ふれた「見えない死」について、『友人葬を考える―― 日本における仏教と儀礼』（東洋哲学研究所編、第三文明社、1993年）からわたしの論考を転載しておく。出版から30年近く経つのに、わたしはその論考が色あせていないと自負している。

生命倫理から見た葬儀のあり方

「散骨」という自然葬が法的にも認められたことや、近年の創価学会と日蓮正宗との対立などを契機として、「葬儀のあり方」に対する問題意識が高まっています。この問題は、従来から多くの人々が何か釈然としないものを感じながらも、伝統や習慣という尺度でそれ以上深く考えようともせずに放置されてきた、それゆえに重大な問題です。

一方、現代医療の現場においては、脳死・臓器移植、植物状態患者と尊厳死、末期ガン患者などに対するターミナル・ケア（終末医療）というような生命倫理問題が噴出し、あらためて「臨終のあり方」が問われています。確かに、医学の進展により多くの病気の原因が解明され、結果として健康が増進され寿命が延長してきたわけですが、そうした死をめぐる生命倫理問題は、先端医療の恩恵に浴している現代人に対して、「生命とは何か、死とは何か」という深遠なる人生の難題を真正面から突き付けているといえるでしょう。臨終と葬儀ということは一つの直線上にあると考えられるので、ここでは現代医療の場において議論されている「臨終のあり方」を基本として、「葬儀のあり方」や「友人葬」を考察してみたいと思います。

見えなくなった死

今日、ほとんどの「死」が病院で起こっているといってよいでしょう。わが家で生まれわが家で死ぬ、という経験は遠い昔の話になりつつあります。何らかの重篤な病気になれば、時には救急車で病院へ運ばれ、長い時間をかけて回復のための必死の努力がなされるのですが、多くの場合そのまま病院で臨終を迎えることになります。「わたしは在宅で死を迎えたい」と思っていても、その通りになることは現代社会にあっては非常に難しいことなのです。したがって、臨終のあり方に対する本人の願望も充足されない場合が多く、また、家族一人ひとりにとっても、死を看取るという人間としての大切な経験がなされない場合が多いといえるでしょう。

歴史的にまた地域的に見て、この「死」という問題に対して多くの社会はさまざまな対応を取ってきたようです。それらは、フィジー諸島などに見られる「死を受容する」という対応、古代エジプトなどでの「死に反抗する」というもの、そして現代先進国社会に多い「死を否定する」という三つの類型にまとめられます。わが国ではそこまではいっていないように思われますが、アメリカ合衆国などは死を否定する文化の典型であると指摘する学者も多いのです。すなわち、「多くのアメリカ人は死の現実から自分達をなるべく遠いところに置こうとしている。……しかしそれだけに、死んでいく人々にとっては死は孤独で機械的でそして人間的でないものになってしまう」（石川弘義『死の社会心理』）と。

このような特に先進諸国での死をめぐる状況について、アメリカの社会学者たちは「死が死につつある」と警告しています。また、死と向かい合うことが困難になってきた理由として、都市化や医療技術の進歩といった文明的側面の変化のほかに、核家族化や無宗教層の増加、そして老人や「死」を排除しようとする文化的側面の変容をあげています。さらに、「死が死につつある」状況下ではどのような問題が噴出してくるか、ということについても論及し、第一点として、老人を個人としても機能的な意味においても軽視し社会的に遊離させている、第二点として、核家族の中で経験する「死」は青少年に対しより大きな苦痛を与える、というような「歪み」を指摘しているのです。

わが国も、早晩このような状況に遭遇するかもしれません。死を否定するような社会、すなわち「死が死につつある」ような社会では、老人や青少年に関する問題が生じてくるだけでなく、生命の希薄化や生きがい・生命実感の喪失という、いわば人間の実存基盤にもふれる問題が派生してくる可能性は大であります。なぜなら「死が死につつある」ということは、「生が死につつある」ということをも示唆していると思われるからです。したがって、「臨終のあり方」や「葬儀のあり方」に対する議論の高まりは、一方においては「死」そのものをめぐる論議ととらえられますが、他方においては、その議論の底に、「死」のみならず「生」をも射程に据えた「生命」そのものをとらえようとする深層意識が強く働いているのではないかと考えられます。その意味で、この論議は現代社会に鳴り響く警鐘といってもよいでしょう。

死をめぐる生命倫理

わが国において、バイオエシックス（生命倫理）ということばが日常的に使われ出してから、すでに5年以上経過しています。「脳死・臓器移植」問題を契機として、日本医師会生命倫理懇談会や日本弁護士連合会、そして政府の諮問機関であった「脳死臨調」がその見解を発表するたびに、バイオエシックスということが強調されるのですが、その真意をどれほどの人が理解しているでしょうか。

確かに、医学の進歩には目を見張るものがあり、それに基づく医療技術の近代化・先端化は急速に進み、国民一人ひとりがそうした恩恵を被ってきたことは事実です。それは、今まさに迎えようとしている「高齢化社会」という現実を考えてみても、よくわかることです。

しかし、その一方で、脳死状態患者や植物状態患者、さらには末期がん患者などの存在をもととして、「ターミナル・ケアをどうするか」、「尊厳なる安らかな死をいかにして迎えさせるか」というような、その解決が難しい生命倫理問題も提起されてきました。こうした問題は、死そのものや死のあり方だけでなく、その対極としての生そのものや生のあり方にも関わってきます。しかも、それが日常的に誰もが経験する可能性があるとすれば、従来ならば哲学者や宗教家が思索の対象としてきたその問題を、われわれ一人ひとりが真剣に考えねばならないのです。すなわち、医学・医療の華々しい進展という裏面で噴出してきた「バイオエシックス」という問題は、生命や人生という本質的な問題に対し真正面から対峙することを、われわれに要求しているのです。そこからの逃避や、形式的解決では済まされない状況に立たされていると自覚するべきでしょう。

それでは、「脳死・臓器移植」、「植物状態と尊厳死」、「ターミナル・ケア」ということに代表される死をめぐる生命倫理問題として、具体的にどのようなことが論議されているのでしょうか。いろいろな観点があるでしょうが、ここでは、第一に生き方のみならず自分の死は自分で決めるという「自己決定権」をめぐる問題、第二に患者の「生命の質」を問うという問題を指摘したいと思います。

「自己決定権」はプライバシーとしての個人の権利を意味しますが、それが拡大解釈されて「死のあり方を選択する権利」として主張されるようになったのは、アメリカにおけるカレン裁判（1976年）を契機としてでした。レスピレーター（人工呼吸装置）の取り外しや末期医療の水準を低下させるというような問題について、その選択にあたっては原則的に患者の自由意思を最大限に尊重するという考え方です。その後、死をめぐる生命倫理問題に対する対応の仕方として、基本的にこの「自己決定権」を基調とするという考え方は、欧米の「自然死法」やわが国の「脳死臨調答申」に盛り込まれています。この是非をめぐって激しく議論がなされているのですが、少なくとも人生の最終章において、その最終章を迎えつつある本人の自由意思が十分に尊重されること、また尊重されるような状況を提供する配慮がなされることが第一に大事である、とする考え方は広く認められているように思われます。欧米で見られるように、「自己決定権」が「治療拒否権」・「延命拒否権」へと変容しないように歯止めを加えつつも、「臨終のあり方」の基礎に当人の意思の実現を据えるべきであると思われます。

第二の「生命の質」という議論は、主として意識のほとんどない植物状態患者や末期患者をめぐって提起されてきました。昏睡状態にあるようなそうした患者の意識状態は、医学的には種々の刺激を加えて言語・感覚・運動機能などの反応状態を調べることによって推測されます。しかし、それ以外にも、たとえば人格や感情など、患者の生命状態を反映する何かがあるはずだと、この「生命の質」論議は求めているのです。したがって、意識の乏しい患者に対しても心温かく接することにより何らかの「共感」が得られるかもしれないという意味において、患者の「生命の質」を考察することには大いに賛成できます。しかし、反面、もしそれが「治療打切り」や「臓器移植優先」という衝動のもとに、医療者や家族などが患者の生命状態を功利的に推量するために行われるとしたら、それを容認する人など誰もいないでしょう。ともかく、人生のターミナルという場においても、願わくば患者のみならず患者を取り巻く人々の「生命の質」の向上が見られるようなあり方を提示したいものです。

以上、死をめぐる生命倫理問題において論議されている点を述べました。要約すれば、臨終という人生のターミナルにおいて重要なことは、ターミナルを迎えようとしている本人の自由意思が最大限に尊重され、そのために慈愛溢れるキュア（治療）とケア（看護）がなされることだ、といってよいでしょう。それは、死にゆく人を孤立化させるという「死を死なせる」あり方では決してありません。むしろ、本人が毅然として死を受容し、周りの人もその臨終のあり方から最終章の生き方を学び合うような、いわば死を共有するという「死を生かす」あり方こそが望まれているのではないかと思われます。

葬式無用論

すでに述べてきたように、現代社会での「死が死につつある」という状況は、「臨終のあり方」とともに「葬儀のあり方」をも問いかける時代の警鐘といえます。

本来、葬儀とは歴史的に見ても、人間にとって重大事であったに違いありません。それを示すかのように、文化人類学者はネアンデルタール人の遺跡から発見された葬式の痕跡をもって、長い生物進化の過程から人類へと創発的な進化が生じた、と指摘しています。確かに、動物界においては仲間にその気配を感じさせずにいつともなく死んでいくのが常であり、仲間もまたその死に対し見向きもしません。したがって、こうした観点から考えると、葬儀は人類を特徴づけるものであり、人類の誕生とともに葬儀も存在したといえましょう。

それでは葬儀とは何でしょうか。何のためにするのでしょうか。これらの問いについて、あえて定義的に答えるならば、葬儀とは「死体処理としての葬法とそれに関する儀式」であり、そして「故人と遺族への哀悼を共有する儀式」ということになるでしょう。ゆえに、その内容や形式は時代や地域によってむしろ異なるのが当然で、事実、土葬・水葬・火葬・鳥葬など、また仏教式・キリスト教式・神道形式などさまざまな違いを生じてきました。しかし、そうした形式的側面はともかく、より本質的な側面を考察してみると、葬儀には、非日常的な死者の存在に直面することによって体験できない「死」そのものを垣間見る、さらには「死」を見つめることを通して峻厳さをもって「生」を確認する、という重大な意義が込められているような気がしてなりません。いわば、「生」は「死」をもって成り立ち、「死」は「生」をもって成り立っているという事実をわれわれに提示しているのかもしれないのです。われわれの生命は、本然的にこの相資相依性の「生」と「死」を（生死不二という原理で）そなえているが故に、意識するしないにかかわらず、「臨終」や「葬儀」に対する軽視の風潮に抵抗を示しているのではないでしょうか。

その一つのあらわれともいえる「葬式無用論」や「葬式改革論」が、形骸化した葬儀のあり方に対し強く提唱されています。前者を推進する人たちは、「葬儀がただ生きているものの見栄とか慰めとか、あるいは慣習的に無感動に行われ、その結果不経済な出費だけが伴う」として、葬儀業者の営利主義とそれと結託した宗教者の商業主義を指摘し、建設的でない葬儀の廃止を訴えています。一方、後者を提唱する人たちは葬儀そのものの意義は認めるものの、営利・商業主義の是正とともに、「宗教者とくに仏教者が、一人の人間の死を目の当たりに経験した人々に対し積極的に働きかけ、生命の何たるかという本質的な問題を説くべきである」と主張しています。両者の主張は、まさに形式的な葬儀のあり方や、葬式仏教化してしまった仏教者の堕落した現状を痛烈に批判しているものと受け取れます。

また最近になって、「葬送の自由をすすめる会」が散骨を中心とする「自然葬」を提唱しています。都市の住宅事情や墓地問題を背景に、環境問題とも関連して「人間は自然の中から生まれ、自然の中へ帰る」という思想を実践しようとしているようです。この運動自体も、葬式・墓地・法要をその経済的基盤とする葬式仏教への批判のあらわれといえるでしょう。

逆に、宗教者がその信念に基づいて臨死の人や葬儀に立ち向かうならば、家族や遺族をはじめとして多くの人たちから深い信頼を得る、ということも次のような歴史的事実から十分に推測されるところです。

「(1555年9月20日付) 異教徒等はわが死者を葬る方法を見て大に感激せり。我等が初めて死者を葬りし時、三千人余これを見んとして来会せり。ただしその盛大なるがためにあらず、当国においては己の父なりとも、死すれば彼等が用ふる門よりせず、後門より埋葬場に運びて他人に見られざるようにせるが、キリシタン等が最も貧窮なる者に対しても、富者に対すると同一の敬意を表するを見て、その博愛と友情とを認め、彼らがかくのごとくして葬儀を行ふがゆえに大に感じ、我等の主キリストの教に勝るものなしと言えり」(『イエズス会士日本通信』)

これは、戦国時代に来日したキリスト教宣教師の報告ですが、わが国における当時の葬儀のあり方が見て取れます。武士はともかく、一般庶民の葬儀など無きに等しいものであったに違いありません。だからこそ、キリスト教の葬儀のあり方に感銘し、その結果として多くの改宗者が出たものと推察できます。

「死別」に関する研究

次に、本格的な「葬儀のあり方」を考える上で参考になると思われる、「死別」に関する研究にふれておきたいと思います。それは、「死別」という経験が、残された人の精神面や健康面に対し、どのような影響をもたらすかという医学的・心理学的・社会心理学的研究であり、そうした研究は、欧米においては比較的早くからなされてきました。

たとえば、先立たれた人の健康状態がその後どう変化するかという研究があります。ボストンとシドニーでほぼ同時期(1967〜68年)に行われた調査ですが、それによると、ボストン在住の未亡人の21％、シドニーの未亡人の32％が死別後1年間で「著しい健康悪化」を体験しているといいます。対照の死別未経験の夫婦のそれが、それぞれ7％と2％ですから、死別の影響の大きさがうかがわれるというものです。

また、病気加療中の人々の死亡率が死別体験によって増大するという報告や、死別体験者の中には精神的障害、とくに「反応的抑うつ症」になるという人が多いという報告もあります。最近のストレスの研究においても、配偶者の死や肉親の死は高いストレス値を示すことが知られ、胃潰瘍や心臓発作やノイローゼなどのストレス病の一因となることが指摘されています。

アメリカの社会学者T・D・エリオットは、「死別」に関する先駆的研究者として知られています。彼は1932年に『死別を経験した家族』という論文を書き、その中で「死別の個人に及ぼす影響」を次のようにまとめています。

A　再適応に完全に失敗した場合

自殺・急死・発狂・精神的崩壊・強迫観念に取りつかれる。

B　部分的失敗の場合

エキセントリックになる・病気あるいは肉体的疲弊・無意志症あるいは目的の喪

失・孤立・人間嫌いになる・悲嘆への逆戻り・自己嫌悪・恐れ。

C　再適応の部分的な成功

あきらめる・ストイシズムを身につける・「人間は不死」という観念を受容する・センチメンタルな思い出にふける・記憶を抑圧してしまう・感情を強化したり豊かにする・気晴らしや仕事に関心を向ける・新しい愛の対象をもつあるいは空想する。

D　再適応への目ざましい成功

新しい愛の対象をもつ・宗教による合理化に成功・自発的な忘却と緊張の解消・ライフワークへの没入・死者がもっていた役割への同一化・その経験を記念する何かを創る・その経験を生かしパーソナリティを生産的に再統合するものへつくりかえていく。

この結果は、「死別」という経験が残された人の人生に重大な影響を及ぼすことを示しています。そして、再適応に失敗するという死別体験の悪影響もあれば、その反対に成功する場合も多々見られるという指摘は注目に値します。「死」という局面においては、人はそのショックで立ち直れないような状況に追いやられる場合もあれば、その経験をも自己の成長の踏み台にできるような内発的な力を秘めているともいえましょうか。どうすれば後者の方向へ進めるかという点に関してはエリオットも言及していませんが、「苦しまぎれの小細工や祈りが死別からの苦しみを和らげてくれるなどとは考えないこと……、だからといって友人の助言や慰めにかたくなに耳を貸さないなどという態度をとるのは止めるようにしよう」という結論には、頷ける点が多いように思われます。

友人葬

「死が死につつある（見えなくなる死）」現代社会にあって、「死を生かす（見える死）」ようにすることは、同時に希薄化されつつある生の実存的意味を取り戻すためにも重要なことでしょう。

「死が死につつある」状況は近年のあまりにも急激な医学・医療の進展によってもたらされた、といっても過言ではありません。日本を含め欧米先進国では、ほとんどの死が病院の中へ病室の中へと、衆目からは遠く離れたところへ追いやられようとしているのは事実です。自分の生のみならず、死でさえも自分で決定（設計）するという「自己決定権」が声高に主張されるのも、また、まるでスパゲティ人間のようにして生かされることが尊厳なのかということを問う「生命の質」論議も、あまりにも一方的に進められてきた近代医学・医療による管理体制への批判の叫びなのかもしれません。すなわち、人生のターミナルという場において、患者や家族の自由意思が十分に発揮できるような、そして、あくまでも人間としての尊厳性を保てるような「臨終のあり方」を希求している声とも受け取れるでしょう。

こうした状況は、なにも臨終の場に限ったことではありません。「葬式無用論」のところでふれたように、形骸化した「葬儀のあり方」も糾弾されているのです。そこからは、死につつある葬儀を何とかその本来のあり方へ戻そうという、強い心情が響いてきます。希求されている「臨終のあり方」から、その延長としての「葬儀のあり方」を考察すると、何よりもまず人間としての尊厳性と自由意思を尊重する「葬儀のあり方」が望まれます。

臨終から葬儀へと、その「人間として」の主体者は「死に行く人」から「死を看取った遺族」へと広がりますが、両者の考え方がともに反映されることが当然ながら望ましいことです。しかし、それが対立する場合もあるかもしれません。そうした場合、故人の意思よりも遺族の意思が優先される場合が多いようですが、簡単に結論を急ぐのではなく、十分に考え、知恵をしぼるべきだと思われます。なぜなら、臨終の場において「インフォームド・コンセント（説明の上での同意）」が重視されているように、葬儀の場においてもそうすることが、人間としての尊厳性や自由意思の発現に関係すると考えられるからです。

さらに、死別に関する研究が示したように、「遺族の一人ひとりが再適応に成功するような葬儀」という視点も大事でしょう。具体的に指摘するのは難しいのですが、死別という「人間関係の分断」を補えるような、心温まる人間関係の深化・形成へと向かう場としての葬儀といってよいかもしれません。

日蓮大聖人の御書の中には、大聖人ご自身が葬儀を執行された例や、「葬儀のあり方」にふれられている例は見出せません。むしろ、大聖人は葬儀という儀式ではなく、臨終の姿や臨終に至るまでの信仰実践そのものの重要性を強調しているように思われます。

「先臨終の事を習うて後に多事を習うべし」(日蓮大聖人御書『妙法尼御前御返事』)

「されば過去の慈父尊霊は存生に南無妙法蓮華経と唱へしかば即身成仏の人なり」(日蓮大聖人御書『内房女房御返事』)

「故聖霊は此の経の行者なれば即身成仏疑いなし」(日蓮大聖人御書『上野殿後家尼御返事』)

このように生涯を通じて、そして臨終に臨んでもまた、即身成仏という仏界の生命境界を開くことの重要性が示されています。生死の境という臨終の場こそ、その人の人生そのものの赤裸々な総決算が顕現されるからでもありましょう。

加えて、日蓮大聖人は、死別を経験した家族・親族の人々へ慈愛あふれる激励をしています。そこでは、故人の成仏との関連性のもとで、残された遺族のあり方をご教示されています。

「十二時の法華経をよましめ談義して候ぞ、此れらは末代悪世には一えんぶだい第一の仏事にてこそ候へ、いくそばくか過去の聖霊も・うれしくをぼすらん、釈尊は孝養の人を世尊となづけ給へり貴辺あに世尊にあらずや」(日蓮大聖人御書『曾谷殿御返事』)

「其の親の跡をつがせ給いて又此の経を御信用あれば・故聖霊いかに草のかげにても喜びおぼすらん」(日蓮大聖人御書『上野殿御返事』)

このような御書によるご教示を考察すると、「臨終のあり方」として生存中の信仰実践がいかに大切であるかが、また「葬儀のあり方」に通じる考え方として家族・遺族の信仰実践が重要であることが理解されます。そして、その実践を通して、死を迎える側も、そして死を看取り葬送する側も、互いに縁したという「相資相依性」を十分に発揮しつつ、最後まで自己完成の道を目指すという仏界への境涯革命が可能になるものと考えられます。

現在行われつつある「友人葬・同志葬」は、こうした日蓮大聖人の教えを基礎とする「葬儀のあり方」です。ゆえに、その本義から考えても、死にゆく人も葬送者もその信仰実践をもとに、「臨終正念」の姿勢で臨終・葬儀の場に臨むことが大切です。したがって、「友人葬・同志葬」の場は、自他ともに自由意思と尊厳性が十分に発揮され、生命深層の部分では豊かな慈悲の精神が交流する場となっているのではないかと考えられます。

その上に、友人や同志が参集するという意義もことさらに大きいように思われます。故人を知る人は多いでしょうが、友情を大事にしてきた友人や、まさに志を同じくして生きてきた同志の存在は、死別という悲哀を経験した遺族に対し、それを乗り越えるのに十分な力強い人間関係として映ることでしょう。

以上述べてきたことを結論すると、人間の尊厳性や自由意思の尊重が叫ばれている「死をめぐる生命倫理」の観点から「臨終・葬儀のあり方」を考えてみると、日蓮大聖人のご教示に基づく「友人葬・同志葬」は、「死が死につつある」現代社会が希求しているあるべき葬儀のあり方を示しているといえるのではないでしょうか。

（木暮信一）

2020年6月10日㈬

コロナ禍の方は緊急事態宣言が解除されても予断を許さない状況が続いているが、感染者数や死者数も減少傾向にあり、社会全体としては活気を取り戻しつつあるようである。しかし、ここのところ新宿歌舞伎町をはじめとして〝夜の街〟での接客業の中から若い感染者が出ているとあって、差別的な報道のあり方がなされている。PCR検査で陽性反応が出ても無症状の人がほとんどだから、ことさら強調することもないと思うからである。専門家が言うように、そうした感染者が第2波・第3波の要因になりかねないかもしれないが、マスコミは危惧するばかりで鎮静化を願っていないような気がするのである。

梅雨に入るとともに、真夏日が続いている。従来のコロナウイルスに対して、新型コロナは高温・多湿にも強いといわれているので、これまた不安材料である。報道をうのみにしていると、熱中症にも気をつけなければならないから、視聴しているだけで疲れてしまって疑似感染状態になってしまう。だからTVはもっぱら時代劇チャンネルでスカッとしているわたしである。

創価学会ではこの6月10日は「婦人部の日」であるが、わたしにとっては忘れられない「群馬の日」である。1973（昭和48）年6月10日に池田先生が群馬の伊香保・総合スポーツセンターを訪れ、「群馬・高原スポーツ大会」が開催された。そのとき記念撮影や大学会（群馬大学・高崎経済大学・関東短期大学）の結成式が行われ、池田先生から「求道の群馬」「人材の王国」という指針が示された。わたしは当時、群馬県学生部長として役員についていた。また大学会結成式においては「群馬県には偉人が多い。学生時代に多くの書物を読んでおきなさい」との指導を胸に刻んだ。しかしである。翌6月11日に創価学会・前橋会館で最高幹部会が行われたにもかかわらず、わたしのところには連絡がなく（連絡がなくとも自ら行くべきであったが）、そこへ出席し池田先生から直接の指導を受けるチャンスを逃してしまったのである。桐生の下宿で熟睡していたことを時折思い出すのだが、わが青春時代に悔いの残る一瞬である。「求道心がない」「運がない」ともいえそうであるが、この時の「後悔」がその後の人生の戒めとなって、「運がよいわが人生」の礎になったともいえる。

2020年6月12日㈮

新型コロナの感染者数もようやく下火となり、今日の0時をもって「東京アラート」が解除された。平常生活へのロードマップもステップ3となり、ほとんどの営業が再開されることになった。それでもマスコミや感染症の専門家は、秋・冬に予想される第2波に備えることを強調し、あくまでも慎重路線を貫こうとしている。ここまでくると、マスコミにはコロナ禍を煽るばかりで、その収束を願う良心は大勢ではないとうがった見方をしてしまう。クラスター発生の原因、回復者の分析など、取材・検証対象はたくさんあるのではないか。そろそろそうした皆を元気づける報道もなされてほしいと期待している。

6月8日から棋聖戦が始まり、17歳の藤井聡太7段が先勝した。現在の棋界で最強といわれる渡辺明棋聖（王将・棋王を含め3冠）に対して最年少での挑戦であり、3勝して棋聖奪取となればこれまた最年少記録になる。渡辺棋聖も簡単には譲らないと思われるが、羽生善治9段を超える天才棋士になってもらいたいものである。6月10～11日には名人戦・第1局が行われ、こちらの方は渡辺3冠が豊島将之名人（竜王とともに2冠）に先勝した。対局者がマスクをしているところに現在の状況を感じるが、彼らの脳は最善手をあみだすべく対局を楽しんでいるのではないかと想像する。こちらは対局結果に一喜一憂しながら、熾烈な戦いを楽しんでいる。ちなみに現在のタイトル保持者は以下のとおりで、99期のタイトルを獲得してきた羽生9段に100期目をと夢見ているわたしである。

豊島将之　竜王・名人

渡辺　明　棋聖・王将・棋王
永瀬拓矢　叡王・王座
木村一基　王位

2020年6月14日(日)

このところ梅雨らしく雨の日が続いている。わたしは雨日が好きで、愛車ハリアーの洗車もかねて、大した目的もなく出かけている。1万5000㎞は越えたようで、9月で2年になる。6月7日にタイヤ交換（冬型→夏型）のためディーラーを訪れたが、6月17日に新型ハリアーが出るので新車への予約を勧められた。まだ車検が1年残っているのにである。お世話になっているIさんの熱心な説明に心は揺れたが、上司のTさんが途中から加わり説明を繰り返したので、かえって冷めてしまい断ることにした。デザインも色もわたしの好みではなく、試乗もできず納車は10月ごろになるという。ボーナス査定時での奮闘を感じないわけではなかったが、天下の〝大トヨタ〟の商魂猛々しい一面を見た思いであった。TVで〝トヨタイズム〟なることばを発する社長の姿を見ながら、真の経営者としてのリーダーシップ（松下幸之助氏によれば、第1に〝愛嬌〟、第2に〝運〟、第3に

〝背中〟）を身につけていないなと感じ取ったりしている。今までしこたま儲けてきたにもかかわらず、コロナ禍で悩む人々、とくに留学生などへの奨学金支援に真っ先に手をあげない、そういう会社の利益優先の方針がよほど徹底されているのか、第一線の若手ディーラーに同情を覚えてしまった。

コロナ禍の方は一進一退の予断を許さない状況が続いている。冬季に向かう南半球の国々で感染者数の増加が危惧されている。とくにブラジルでは感染者数が40万人を超え、死者数も4万人を超え、ともにアメリカに次いで2番目になっている。専門家やWHOも北半球から南半球、南から北へと振動しながら感染拡大は持続するのではないかと予想し、そこから第2波・第3波を確実視しているのである。まさにグローバルレベルのパンデミックであるから、その予測には妥当性はあるかもしれない。しかし、前にもふれたストレスとの関連性や回復者の推移に関する研究成果が報告されれば、コロナ禍のより確実な未来像が見えてくるのではないだろうか。そうしないところに、危機を煽る方が視聴率を稼げるというマスコミの商業主義が見え隠れしてしまう。

2020年6月17日㈬

そろそろよいニュースも出てくるかと思っていたところ、丹念に統計解析を続けているＷｅｂサイト（https://tousinojikan.com/covid-19/）を見つけた。東京都のデータを元に㈱ＰＲエージェンシーが作成したグラフである（グラフの転載は許可されなかったので、興味のある読者はサイトを検索されたし）。4月1日から掲載されているので、わたしがそうした努力を知らないだけであった。東京都の区市町ごとの1㎢の人口密度をヨコ軸に取り、タテ軸は人口1人当たりの感染者数比率を取っている。そのデータ解析によると、4月では相関関係が不明瞭であったが、5月上旬ごろから次第に「正の相関」が見て取れるようになる。相関係数が記載されていないので、「強い相関」なのか「やや強い相関」なのか区別はつかない。6月1日に追記されたグラフではその相関関係がますます明瞭になっている。加えて、線形近似をすれば、その直線上から新宿区・港区・千代田区・渋谷区・台東区のデータが上方へ飛び出していることが認められる。

ここから読み取れることは、「人口密度が高ければ感染者も多い」、「上記5区は住民だけでなく通勤者も感染者数を押し上げる」という点である。感染経路やクラスター発生が重大な影響をもたらすと喧伝されてきたが、何のことはない「人が多ければ感染者も多い」という結論である。その点、3密を避けたり、マスクをしたり、手洗いを励行したり、外出を控えたりしてきたことが功を奏したといえるだろう。

しかし、それだけでは説明できないこともある。同じような地域にいてなぜ感染者と非感染者が出るのか、感染の程度も無症状の人や重症化する人などなぜ差が出るのか、という問題である。この辺は回復者の分析結果を待たなければならないが、当初は高齢者や持病のある人などが感染しやすい、重症化しやすいといわれてきた。最近では若者でも持病がない人でも感染者になっているところから、別な要因も考えなければならないのではないか。わたしの持論は、すでに述べてきたように、「不安ストレス」「通勤ストレス」という受け手側の要因、それによる免疫力の強弱が感染また重症化のカギを握っているというものである。そのためにはテレワークなどライフスタイルの変更が迫られていると指摘されているが、いっそのこと省庁や会社や住宅も〝セカンド〟を考えるべきなのではないか。一極集中ではなく、分散型社会を築くべきだと思うのである。

2020年6月18日㈭

ここにきて北朝鮮と韓国の関係が怪しくなっている。16日に開城工業団地にある「南北共同連絡事務所」が完全に破壊された。韓国の脱北者団体が金正恩《キムジョンウン》委員長を非難するビラを散布したことへの対抗措置の一環とみられている。「南北融和の象徴」だっただけに、双方の緊張が高まるものと予想される。コロナ禍のこのご時世になぜと訝しく思う人が多い。専門家は、コロナ禍の実態から内外の目をそらしたい、逆に封鎖されている中朝間貿易の再開へ内外の目を向かわせたい意図があるのではないかと説明している。それとも、その指揮を執っているのが金委員長ではなく妹の金与正《キムヨジョン》党第1副部長なので、金委員長の健康問題を指摘する向きもある。いずれにしても、緊張の緩和を祈るばかりである。

この北朝鮮問題に対して世界はどのように対処すればよいのだろうか。わが国は「拉致問題」を抱え、長い年月をかけて交渉してきた。この間、小泉総理が2002年および2004年に訪朝し、一部被害者の帰国が実現されてきた。しかし、その交渉の成果は一部であって全部ではなかったので、「拉致被害者家族会」は継続的な交渉を要望しつつ、すべての拉致家族の帰国を目指してきた。その中心的役割を果たしてきた横田滋さんが愛娘・横田めぐみさんの帰国を見ずに、6月6日に亡くなられた。87歳であった。

もし、わたしに同様な問題が突きつけられたら、わたしはどう対応するだろうか。仮定の話にしても、国民の一人として思考実験してみる価値はあるだろう。

そこで思い出すのが、池田先生がそのきっかけの一端を創ったといわれる「日中国交正常化」の歴史である。1968年9月8日、日大講堂で行われた第11回学生部総会の席上、池田先生から「日中国交正常化提言」が発表された。当時は東西冷戦下で米中は敵対関係にあり、わが国も中国敵視政策を取っていた。中国と付き合うというだけで白眼視される時代背景にあって、国交正常化を提言することは身に危険が及ぶことをも意味していたそうである。しかし、そうした命の危険を恐れることなく、池田先生は提言を発表し、「①中国政府を正式に認め国交正常化を図る、②中国の国連における正式な地位を回復させる、③早急に日中首脳会談を実現する、④両国の経済的・文化的交流を推進する」などを訴えた。そして、具体的な国交正常化交渉の橋渡し役を公明党に委任したのである。「人民の総理」である周恩来首相と、「大衆とともに」を掲げた池田先生との唯一の出会いこそ、1974年の周・池田会談であった。がんを告知されていた周首相が「どんなことがあっても会わなければならない」と、医師の反対を押して会談に臨まれ、最後に会った日本人が池田先生であった（以上、2018年9月12日、「日中正常化50周年」を記念して南開大学で行われた山口那津男・公明党代表の講演より）。

1972年9月29日、当時の田中角栄首相と中国の周恩来首相は北京で共同声明に署名し、「恒久的な平和友好関係を確立する」ことで一致した。これがいわゆる「日中国交正常化」である。その1カ月後、日中両国の友好の証しとして、中国から日本へ初めて2頭のパンダ（カンカンとランラン）が贈られた。その後、１９７８年８月12日に「日中平和友好条約」が締結され、両国は歴史の新たな一ページを開くことになった。

創価大学は１９７１年４月に開学したが、日中国交正常化後の１９７５年11月に日本で初めて中国からの国費留学生６人（程永華駐日大使を含む）を受け入れた。その後もこうした交流が続いていることも忘れてはならない。池田先生が提言で述べたことを誠実に履行してきたことがうかがわれる。

このような「日中国交正常化」の歴史を、近未来における「日朝国交正常化」へ活かせないだろうか、とわたしは考える。わが国の文明・文化は中国そして朝鮮半島の国々の影響のもとで発展してきた。現状の敵対関係に固執するあまり、２０００年間にわたるそうした〝大恩〟を忘れてはならないだろう。その大恩に報いるという〝報恩〟の立場を基本として、次なる「信頼の醸成」をいかにして築き上げるかを模索するべきだと思う。従来、北朝鮮をめぐる問題を考える６カ国協議会（北朝鮮・韓国・中国・日本・アメリカ・ロシア）なる場がある。わたしは（核を有している意味で）関係が深いイランやインド、さらに高度福祉社会を築いてきたカナダ・ノルウェー・オーストラリア・ニュージーランドを加えて12カ国協議会とし、定期的に会議を開催したらどうかと考える。加えて、議題は金本主義的幸福観を達成しようとする経済的問題だけでなく、未来を担う青年の交流をいかに進めるかという時間主義的幸福観も視野に入れながら、代表者たちが叡智をしぼってもらいたいと期待したい。不信感が瓦解すれば、あたかも生物の発酵過程のように「信頼の醸成」が開始され、やがて熟成の段階に到達するに違いない。こうしたことを牽引する第2の周恩来首相そして池田先生の出現を心待ちにしたい。

2020年6月22日(月)

先週末に自粛解除が行われ、街や旅行へ繰り出す人々が一段と増えだした。しかし、感染者の方は落ち着いているので、このまま収束へ向かうのではないかとわたしは予想している。なぜなら、マスコミのインタビューを受ける人に笑顔が戻っていて、ようやくストレスフリーの様相がうかがわれるからである。逆に、時折ひきつった表情を見せるマスコミ人の方に感染拡大が起こるのではないかと考えたりしてしまう。

6月19日にプロ野球が無観客のもとオープンした。やはり無観客だと歓声がなく淋しい感じがするが、ミットに収まるボールの音や打ち返す音もはっきり聞こえ、迫力が増したような感じを受けた。ＭＬＢの方はまだコロナ禍だけでなく、警察官による黒人致死事件デモの終息が見通せず、開幕の日程が決まっていない。となると、来年までに延期された東京オリンピック・パラリンピックの開催も中止になる可能性が高くなるだろう。

コロナ禍や北朝鮮問題など問題が山積しているが、先週末に通常国会が閉会した。しかも河井克行・案里議員夫妻の選挙違反容疑による逮捕というおまけまでつけてくれた。主人の方は元法相でもありながら選挙違反に関与した容疑、奥方の方は昨年の参院選で1億5千万円という党からの破格の支援金を得票依頼へ流用した容疑である。安倍総理総裁の任命責任や決済責任も疑われているので、国会を延長せず閉会したのは責任逃れだと揶揄する向きも多い。国を代表する人たちの不祥事を目の当たりにするとき、日蓮大聖人が喝破した「わづかの小島のぬしら」（日蓮大聖人御書『種種御振舞御書』）という諫言を思い出す。

2020年6月23日㈫

本日の『毎日新聞』の一面は印象に残るものである。一つは、本日が太平洋戦争末期の沖縄戦の犠牲者らを悼む「慰霊の日」であることにふれているからである。戦後75年、毎年「沖縄全戦没者追悼式」を行い、平和を祈るとともに戦争経験の風化を防ぐ決意をあらためてきたという。しかし、沖縄歴史教育研究会が県内の高校2年生を対象に実施している5年ごとのアンケート調査では、体験世代の高齢化が進む中、「沖縄戦を語る家族がいない」の割合が52％となり、前回調査の43％から10％近く上昇したことが明らかとなった。研究会では「沖縄戦や今の基地問題に続く本土復帰の闘いを知る身近な人たちが徐々にいなくなる中、子どもたちにとっては学校で知る機会が一層大事」だと指摘している。

もう一つは、１９６０年に改定された「日米安全保障条約」と、それに基づき在日米軍の法的地位や基地の管理・運用を定めた「日米地位協定」が発効から60年を迎えたことに関するものである。『毎日新聞』が47都道府県の知事に地位協定見直しの要否を尋ねたところ、８割を超える39人が「見直しが必要」と回答した。大阪府の吉村洋文知事は「負担を全国で分かち合い、沖縄の負担軽減を図るべきだ。国から要請があった場合には市町村とも協議し対応していく」とした。沖縄県の玉城デニー知事は「地位協定を〝自分ごと〟、〝民主主義の問題〟として捉え、国民全体で解決すべき問題であるとの共通理解をもっていただきたい」と訴えている。

わたしが沖縄問題を考えるとき、思い出すのが池田先生の「一番不幸の経験をした人々が一番幸福になる権利がある」というスピーチである。この精神を問題解決への基本に据えて、沖縄県民の意思を最大限に重視しつつ取り組むべきだと考える。民意と協定の内容とのギャップを一つ一つチェックしながら、関係省庁の政治家や官僚は解決へのプロセスを明示するべきだと思う。国民への説明責任を果たしつつ、日米間での定期的な協議を続けてもらいたいものである。わたしも当事者の自覚をもって、60年間において変わったことと変わらないことを調べてみよう。

2020年6月26日㈮

ここのところ九州を中心として梅雨前線が活発化し、長崎・佐賀などで大雨が続いている。昨年の秋によくニュースに登場した〝線状降水帯〟が現れ、九州北部に警戒警報が出ている。まだコロナ禍が収束したわけではないから、避難所での感染が危惧されている。大雨による洪水とコロナ禍というダブルパンチは未経験の問題であり、どう対処していくかがTV報道などで議論されている。現場の各自治体は悠長に議論する時間はなく、即断即決で対応しているようであり、本当に頭が下がる思いである。

加えて、長野・群馬の県境にある浅間山で火山性微動が活発化しているようで、噴火に対する警戒レベルが1から2へ引き上げられた。昨日の朝には千葉県旭市を中心として震度5弱の地震が発生し、現地では東日本大震災を思い出させるような驚きがあったという。わが国におけるこうした同時多発的な自然災害の発生はいったい何を意味しているのだろうか。「自然のなせる業なのだから、意味を考える意味もない」と一笑に付されてしまうかもしれないが、科学的視点からの考察とともに哲学的視点からの考察を行う必要があるのではないか。前者は膨大なデータに基づく帰納法的アプローチであり、いままでは各種災害の関係性を含む分析など不可能に近いものであった。近年、コンピュータ技術の急速な発達があり、AIによる分析が可能になりつつある。前にもふれたコロナ禍の原因に関するものが格好の例である。だからといって、その分析結果から有効な結論が導き出されているわけではない。地球規模の同時多発災害の原因究明など、それらを構成する要因が多ければ多いほど究明までの時間は途方もなく長いものとなろう。一方、後者は人間の直観智に基づく演繹法的アプローチといってよいだろう。しかし、直観智とはどうして創発されるのだろうか、いわば〝閃き〟もいつ、どこで、どのようにして湧現してくるのだろうか。ゲーテが指摘した〝繊細なる経験〟をただひたすら待てばよいのだろうか。「言うは易く行うは難し」である。哲学者の長く深い思索に期待するしかないか。

わたしは、われわれの脳にはAIが備わっているという点に注目している。AI研究者は人間の脳をその目標においているわけだが、AIを創ってきたのも人間であるので、人間のAI（脳）の方が一歩先を行っていることは間違いない。人間の脳に内在するAIとそれが創り出してきたAIとでは、どう違うのだろうか。この辺はAI研究の専門家に尋ねる問題であるが、わたしは人間のＡＩには絶え間ない変化をもたらす〝自由意思〟が存在すると考えている。しかも、その自由意思は他者（のＡＩ）を求めて、外に開かれている。何のためかと問われれば、わたしはそれこそ直観智の発現であり、〝繊細なる経験〟の実現である。多くの哲学者が思索を重ねるとともに対話を重視してきた所以が、この〝他者の存在〟だったのではないかと考える。他者との対話を考えるとき、ＡＩ対ＡＩ、ＡＩ対人間、人間対人間という組み合わせが考えられるが、前二者においては〝創発性〟が発現できたという報告はなく、結局、後者の場合にしか創発性の発現はできないであろう。したがって、科学者と哲学者、芸術家とアスリートなど、真摯な人間同士の対峙こそが望まれているのであると、わたしは考える。

演繹的アプローチのもう一つのあり方は、人間同士の対峙という視点から脱して、自然の中へ埋没することだと思う。人間が自然の中で突出した存在であるという傲慢さを捨て去るとき、人間も自然の中の一員であるという自覚が芽生えるに違いない。わたしは、あまりにも擬人的な表現であるが、植物や動物は「少欲知足」「煩悩即菩提」「仏性の顕現」という境界を獲得しているのではないかと考えている。自然の中での共生は、植物や動物と同様に、そうした境界を人間にも思い出させてくれるのではないだろうか。再び渡辺謙氏を引き合いに出すが、カナディアンロッキーを前にして感動の涙が溢れ、やがて白血病克服という体験をする、まさに内在していた〝よい状態（well-being）〟を取り戻した瞬間だったに違いない。理性的にも実証的にも説明できない、〝創発〟・〝啓示〟としか言えないような境界をわれわれはもっていると、わたしは確信するのである。

したがって、火災・水災・風災という「大の三災」、そして飢饉・兵革・疫病という「小の三災」が同時多発的かつ地球規模で起こっている現状に対して、帰納法的アプローチや演繹法的アプローチを総動員させる必要があるだろう。科学的なデータ分析はもちろん重要であるが、決して科学至上主義に陥ってはならない。雄大な自然の中で、その見事なる生命連鎖に畏敬の念を抱きながら逍遥すれば、「無量宝珠不求自得」という限界突破のインスピレーションが湧出するかもしれないのである。ゲーテのいう「繊細なる経験」が顕在化する「高度に啓発された時代」になってほしいと念願したい。

２０２０年６月28日(日)

先週末に創価大学法科大学院・藤田尚則教授の訃報が届き、本日の告別式に参列した。渋谷区千駄ヶ谷の御自宅での葬儀であり、ＫＡ東洋哲学研究所長を導師とする家族葬で行われた。昨年に心筋梗塞で倒れ、リハビリで回復したものの、この春に発見された肺がんが直接の死因とのことであった。ご家族また島根からの親戚の方々も十分な看取りができていたようで、清々しい雰囲気が漂っていた。

以前に引用した『友人葬を考える』の共著者であり、その時の事情を中心であったNT創価大学・名誉教授が説明してくれた。創価学会が日蓮正宗から離脱した場合の難題、すなわち「御本尊下付」と「葬儀の実施」という問題に対して、われわれは後者の問題を担当し、「同志葬」「友人葬」「家族葬」なる僧侶なしの葬儀のあり方を示した。藤田先生は「法律をめぐる諸問題」を担当し、新しい葬儀のあり方が決して法律にふれるものではないことを明示し、当時の会員に勇気を与えたとの説明にご家族・ご親戚はその業績を再認識しているようであった。本当に参列してよかったとわたしは感じた。享年67歳、合掌。

家に到着すると、今度は棋聖戦で藤井7段が2連勝し、棋聖位奪取に王手をかけたというニュースである。現在の最強棋士といわれる渡辺3冠（棋聖・王将・棋王）を相手に連勝であるから大したものである。しかも後手ながら、よくわからないうちに優勢を築き、90手で投了に追い込んだのである。17歳でのタイトル獲得は史上最年少であり、7月1日から始まる王位戦もあわせて、藤井7段の活躍には目が離せない。羽生善治9段（前7冠王・永世7冠）を超える棋士は出ないといわれてきたが、藤井7段はその記録をあっさり超えてしまうかもしれない。

２０２０年６月30日㈫

今日は「学生部結成記念日」である。１９５７（昭和32）年のこの日、創価学会第２代会長・戸田城聖先生のもとに男女学生の代表５００名が港区麻布公会堂に集い、結成式が行われたのである。戸田先生は「この中の半分は社長に、半分は博士に！」と激励したと伝え聞いている。池田先生は「夕張炭労事件」（１９５６年の参院選において学会員が炭労推薦の候補でなく学会推薦の候補に投票したので、組合員除外などの圧力を受けた事件）で迫害を受けていた夕張の学会員を激励しながら、「新しき世紀を担う秀才の集いたる学生部結成大会、おめでとう。戸田先生のもとに勇んで巣立ちゆけ」と祝電を打ったといわれる（以上、聖教新聞ＨＰより）。

第1巻でふれたように、この年の2月に父に常住御本尊が下付され、何月かは不明であるが父が事件を起こした年でもある。わたしは小学生であり、家の事情もあり、学生部結成のことなど全く知らなかった。それを意識したのは、高崎高校1年のとき高崎経済大学のO先輩から結成式の模様を話してもらってからであった。その時、戸田先生の「半分は博士に！」という指針が脳裏に刻まれたのかもしれない。大学進学は当然と考えるようになった。しかし、「博士になるためには大学院へさらに進学する」という行動は、そのとおり実行した義兄のＴＫ先輩に導かれてのことであった。いまさらながら、群馬大学生そして大学院生としての10年間、創価学会学生部に所属しながら「広宣流布」の活動に参加できたことに感謝せずにはいられない。その時の同志が一人去り二人去りする時代に入っているが、「人は生きてきたようにしか死ねない」という言葉のように、最後まで交流をしながらこの『自然死への歩み』を綴っていきたいと思う。

2020年7月2日(木)

東京都においてここ数日50人以上を記録しているコロナ感染者が本日では１００人を超え、〝第2波到来か？〟とマスコミが躍起になっている。小池都知事も連日会見を行い、従来の対策の励行や夜の街での飲食自粛を呼びかけている。都の専門家会議は「第2波へ移行する可能性はあるものの、現在はそこまでには達していない」としている。

わたしの予想は外れたのだろうか？　すでに述べてきたように、ＰＲエージェンシーによる分析で明らかにされたように、「人口密度と感染者率との間には正の相関がある」こと、「通勤者が通う都内地域は感染者率を押し上げる」ことを考慮に入れれば、東京アラート解除後は人々の移動は多くなり、人口密度の高い新たな場所ができ、結果、感染者も増加することになる。その理由は、一人のもつウイルス数は微小なレベルであっても、通勤時や居酒屋など人が多いところでは相加または相乗効果で高いレベルになる。その高いレベルのウイルスが口外へ排出されるか、または消化器系へ流されることがなければ、感染確率は高くなるわけである。「不安ストレス」や「通勤ストレス」が強いと、口腔内や上気道の粘液の濃度が上昇し、ウイルスがそうした場所の細胞に付着しやすくなる。当然のことが起こっていると、わたしは考えている。したがって、ストレス緩和の対策の方が重要だと思っている。この視点からの議論が一向に出てこないので、第2波・第3波への危惧はまだまだ続くものと思う。ストレスへの気づきがなされれば、コロナ禍はやがて収束すると確信する。

藤井7段が昨日から行われている王位戦第1局に先勝した。〝千駄ヶ谷の受け師〟の異名をとる木村一基王位に対して、先の渡辺棋聖との対局と同じように、わけのわからないうちから踏み込んで95手で勝利してしまった。30歳の年の開きがあり、老練さの木村王位と先鋭的な藤井7段の激突は早くから注目されてきた。7番勝負なので先行きは不透明だが、わたしは棋聖戦は3連勝で、王位戦は4連勝で奪取して、先輩棋士の記録を塗り替える藤井2冠王の誕生を夢見ている。

2020年7月4日㈯

6月下旬に続いて、梅雨前線が活発化して熊本や鹿児島で線状降水帯が発生した。今朝になると球磨川流域の数カ所で氾濫が起こっていると報道されている。住宅への浸水もあり、避難勧告が出されているが、コロナ禍のもとでの避難生活が現実のものとなりつつある。気象庁が明日には九州から東日本へ前線が移動すると予測しているので、短期間で避難が解除されることをひたすら祈る。

こうした状況下にあって、本日の『毎日新聞』二面で2019年度の年金運用損が8・2兆円と報じられている。運用している「年金積立金管理運用独立行政法人（GPIF）」はその原因を「コロナ禍での株安で打撃を受けた」としている。しかし、2019年度末時点の運用資産額（保険料収入のうち給付に回さなかった余剰分）は150兆6332億円なので、年金財政に支障はないそうである。年金生活を送る者にとって安心できるニュースだが、コロナ禍が数年続いて経済活動が低迷すれば……と考えると「不安ストレス」が頭を出してくる。わたしは「年金積立金の運用」そのものに金本主義的幸福観の反映を見てしまい、言い知れぬ訝しさを感じてしまうのである。

2020年7月5日(日)

一夜明けて、球磨川流域の氾濫の凄まじさが放映されている。流された家、1〜2階まで浸水した建物、土砂崩れで埋まってしまった家など、東日本大震災時の津波による大被害を思い出させるような光景である。死者・行方不明者も多数に上っている。避難勧告が解除されても、帰れる家を失ってしまった人々も多い。本日午後から再びの大雨も予想されているので、2次災害・3次災害に対する最善策が早急に取られることを祈りたい。しかし、復旧までにはかなりの時間がかかるのではないか。それにしても〝線状降水帯〟による被害を最小限にくい止める方法はないのだろうか？

2020年7月7日(火)

追い打ちをかけるように九州北部の筑後川流域で氾濫が発生している。昨日から長崎・佐賀・福岡県に線状降水帯が発生し続け、大雨特別警報が出ていた。50年に一度、100年に一度などといわれてきたが、全国レベルで見れば毎年のようにこの種の水害が発生している。専門家が出てきて、たとえば「球磨川流域のハザードマップに一致する場所が洪水の被害を受けているので、日頃から自分の地域がどのような被害を受けるかを考えておくべきだ」という。何とも頼りない助言である。専門家なのだから、もう少し抜本的な提言はできないのかと思ってしまう。

途方に暮れながら片づけ作業をする人々を見ながら、やはり〝セカンド・ハウス〟しかないかと思いを強くする。『自然死への歩み①』でも主張してきたわたしの提言である。ファースト・ハウスから50～100㎞ぐらい離れた場所、同時に自然災害を受けないような場所にセカンド・ハウスを用意しておくという構想である。ノルウェー・オスロの市民のように、何もないときは週末に家族や友人と楽しく過ごせばよい。ストレスに対する気分転換にもなり、緑光浴を楽しんでミトコンドリアを活性化させることもできる。ファースト・ハウスが被害を受ける可能性が出てきたら、いち早くセカンド・ハウスへ移り、そこに備蓄してある食料や生活用品でしばらく賄うというイメージである。セカンド・ハウスの方が被害を受けた場合はファースト・ハウスをそのまま利用すればよい。どちらかが半壊・全壊しても、残っているもので使用できるもの、できないものなどという区分けをせず、重機で一挙に更地にしてしまう。復旧までの時間や費用も圧倒的に少なくて済むのではないかと思う。

問題は「国民の世帯主は二つ住居をもつ」という考えを広めることである。それを実現するために、住宅の価格をある程度統制する。ファースト・ハウスの方は、たとえばカナダのように、寝室の数が夫婦と子供数を含めて５ＬＤＫで２０００万円以下とする。セカンド・ハウスの方はノルウェーのように、３～４ＬＤＫで５００万円以下とするというアイデアである。

セカンド・ハウスには高度経済成長期に造られた建物や過疎地において廃屋化しつつある学校や住宅をリノベーションするのもよいかもしれない。戦後において、国の主導による住宅政策は打たれず、不動産業界の思うがままの乱開発が続けられてきた。〝統制〟と聞くと社会主義的政策だと批判されかねないが、衣・食・住は生活の基本である。とりわけ住環境は国民にとって必須のものであり、

the band apart

（栄一はドラム担当）

日本国憲法第13条にも「生命、自由及び幸福追求に対する国民の権利」という幸福追求権が規定されているのだから、たとえ〝統制〟といわれても国はそれを保障する施策を実行するべきであろう。「災害列島」というわが国の現状を考えると、「国民の幸福」に結びつく住環境の整備こそが望まれる。そこが安定すれば「不安ストレス」は払拭され、コロナ禍なども発生しなくなるのではなかろうか。

今日は長男・栄一の42歳の誕生日である。音沙汰はないが、照美の方へは孫の日希ちゃんと一緒の動画などが送られてくる。コロナ禍でバンド活動が自粛されているので、多分収入は減っているのではないか？　しかし、悲鳴は聞こえてこないので、元気で暮らしているものと想像している。

2020年7月10日㈮

九州をはじめとして甚大な被害をもたらした梅雨前線はいまだ衰えず、その被害を拡大するような勢いである。現時点の死者数も60人を超え、住宅被害も1万棟を超えている。後片付けを進める人々も雨に打たれながら、いつまで続くのかと不安の色を隠せない。

近年の自然災害はその発生確率といい、もたらす被害のレベルといい尋常ではない。どうしてこうなっているのか、さまざまな分野の専門家に説明が求められているのであるが、結局、〝地球温暖化〟による気流の変化、海水温の上昇などが要因とされているようである。

ひょっとすると1980年代から1990年代に注目された〝複雑系の科学〟がリバイバルするかもしれない。わたしは一時〝複雑系（complex system）〟に興味をもったが、あまりにも難解であったのでギブアップした記憶がある。ウィキペディアによれば、「複雑系（complex system）とは、相互に関連する複数の要因が合わさって全体としてなんらかの性質（あるいはそういった性質から導かれる振る舞い）を見せる系であって、しかしその全体としての挙動は個々の要因や部分からは明らかでないようなものをいう。これらは狭い範囲かつ短期の予測は経験的要素から不可能ではないが、その予測の裏付けをより基本的な法則に還元して理解する（還元主義）のは困難である。系の持つ複雑性には非組織的複雑性と組織的複雑性の二つの種類がある。これらの区別は本質的に、要因の多さに起因するものを〝組織化されていない（disorganized）〟といい、対象とする系が（場合によってはきわめて限定的な要因しか持たないかもしれないが）創発性を示すことを〝組織化された（organized）〟と言っているものである。複雑系は決して珍しいシステムというわけではなく、実際に人間にとって興味深く有用な多くの系が複雑系である。系の複雑性を研究するモデルとしての複雑系には、蟻の巣、人間経済・社会、気象現象、神経系、細胞、人間を含む生物などや現代的なエネルギーインフラや通信インフラなどが挙げられる。複雑系は自然科学、数学、社会科学などの多岐にわたる分野で研究されている」とある。この説明も理解するのが難しいが、わたしは当時、株価の変動や脳波の振動などを例として理解しようと挑戦していた。右記に気象現象や神経系があげられているように、そうした多要素系ではたとえ数式化できたとしても安定した解が求められないのである。加えて、その数式化できたモデルをコンピュータ・シミュレーションすると、微小な初期条件の違いによって結果が全く異なることになる。秩序と無秩序（＝カオス）が同居していて、突然の飛躍が起こるような系である。大雨が降っていても、あるところでは滝のような土砂降り、別のところでは雹が混ざる、落雷が発生するなど多様な影響をもたらすようなものである。わたしたちの脳のニューラルネットワークでも、重層化されている同じような回路が活性化しても、「この赤色は夕日の輝きだ」という人もいれば、「熟したリンゴの色だ」という人もいる、というようなものである。

最近のＡＩ（人工知能：artificial intelligence）は容量も大きく、計算速度も格段に進歩しているので、複雑系の解明に向けて応用されていくだろう。早速〝線状降水帯〟の動きなどに応用され、即時的に降水量が分析され、人々に速報されるようにしてもらいたい。

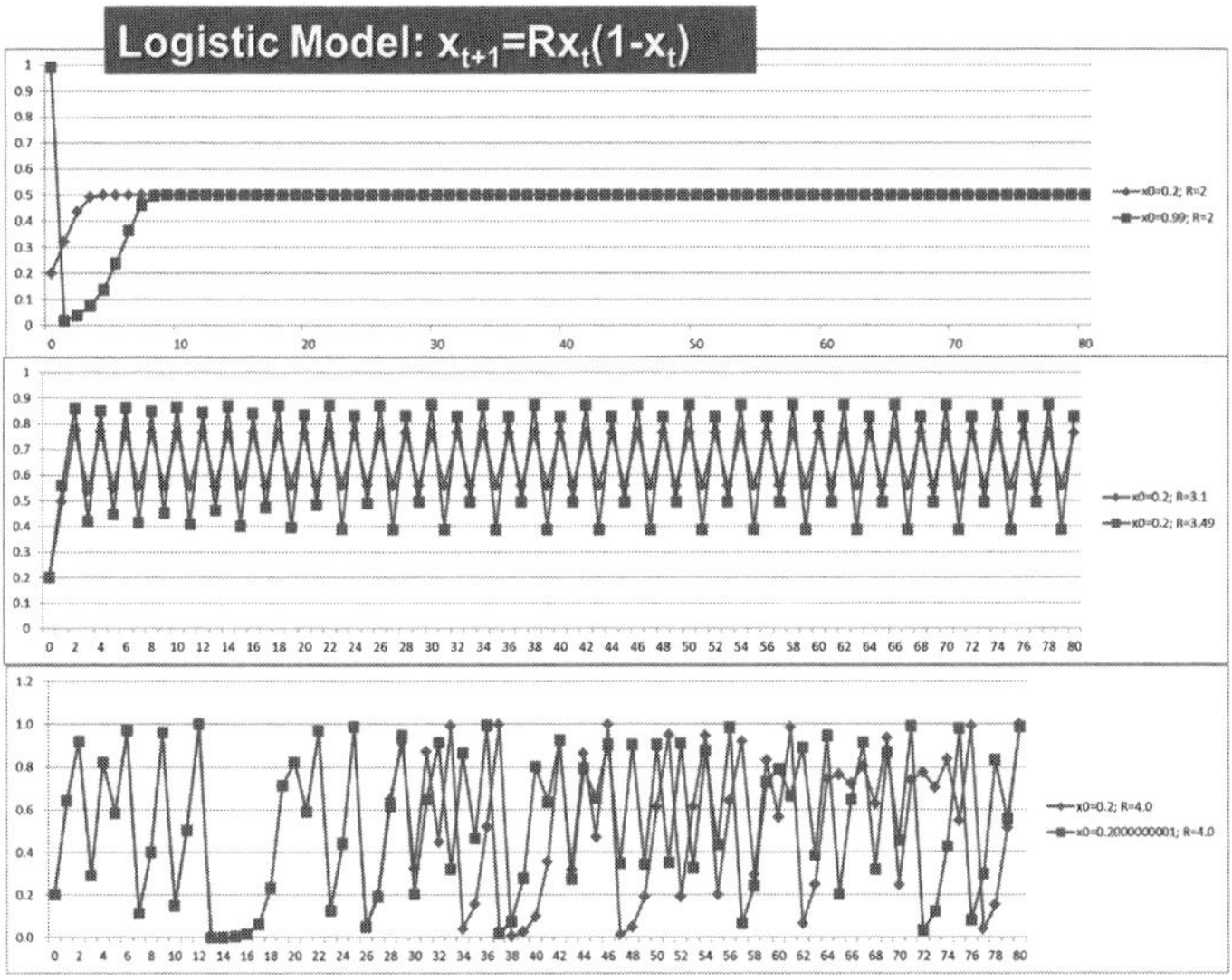

複雑系のモデルの一つ

上段は初期値が（$x0$＝0.2；R＝2）と（$x0$＝0.99；R＝2）ですぐに一致してしまう。中段は初期値が（$x0$＝0.2；R＝3.1）と（$x0$＝0.2；R＝3.49）で似たような振動を繰り返す。下段は初期値が（$x0$＝0.2；R＝4）と（$x0$＝0.2000000001；R＝4）の場合で全く異なるパターンで変化する。

そのためには衛星カメラの分解能をあげて気象データの精密化が必要となると思われる。その達成に時間がかかるようであれば、セカンド・ハウスへ逃げ込むしかない。

昨日、棋聖戦3局目が行われ、藤井7段が敗れてしまった。3連勝での棋聖位奪取というわけにはいかなかったが、来週の4局目に期待したい。わたしは中継を見ながら、午後の再開後では「藤井優勢」を確信していた。終局後「ミスがあった」と彼が言っていたように、渡辺棋聖の緻密かつ老獪さに敗れたというより、棋聖位を前に一人で転んでしまったのではないか。そこを自覚しているようで、来週には最年少での棋聖位奪取を実現してくれるに違いない。

2020年7月14日㈫

札幌で王位戦第2局が行われ、圧倒的不利な状況から大逆転し、藤井7段が2連勝した。木村王位が最終盤の寄せを誤ったのかもしれない。2日にわたる熱戦をものともせず、最後の1分将棋のなかで最善手を指し続けることは難しいが、17歳という若さの藤井7段はそれをやってのけたのである。〝千駄ヶ谷の受け師〟の異名をとる木村王位の猛攻をしのいで、藤井7段が受け師になったようであった。明後日16日には棋聖戦第4局が行われるので、新たな棋聖の誕生、しかも最年少でのタイトル獲得が実現するかもしれない。それにしても驚きであり、コロナ禍を吹き飛ばすようなニュースである。

そのコロナ禍の方は、東京での感染者数が連日3桁台であり、地方でも東京への往来が原因とみられる感染者が増加しているらしい。こうした状況下で「Go Toトラベルキャンペーン」の実施に疑問の声があがっている。西村経済再生担当相によれば、「感染防止と経済の活性化を両立させるため、十分な防止策を励行しながら、観光業を中心とした人々の往来を緩和させようとするものである」という。7月22日からの実施というが、マスコミおよび専門家・コメンテーターは異を唱える人が多い。

わたしは、「人口密度が高いと感染者も多い」という観点から一時的なキャンペーンによる感染者の増加を予想する。しかし、それは継続するものではなく、「不安ストレス」や「通勤ストレス」からは解放されるので、次第に減少するのではないかと考えている。第2波を危惧する前に、感染者数と重症者数・死者数との関係、圧倒的に多い回復者の経過と治療例を明らかにして、国民に知らせてほしいものである。

2020年7月17日㈮

昨日の棋聖戦第4局で藤井7段が勝利し、棋聖位奪取となった。しかも17歳11カ月という最年少での戴冠という記録も打ち立てた。コロナ禍を吹き飛ばすように、地元愛知県瀬戸市をはじめとして列島に藤井フィーバーが巻き起こっている。現在最強といわれている渡辺3冠（棋聖を失冠したので2冠）をして「負け方が想像を超えている」といわしめるほど、藤井7段が強かったことになる。わたしはTVでのライブ画像を見ていて、渡辺3冠の苦渋の表情や呆然とするさまが感じ取れた。しかも、それがAIが予想もしなかった手を指したときだったから、「ついにAIを超える天才の出現か！」と思うほどであった。同時並行で行われている王位戦でもあと2勝して戴冠となれば、8段（タイトル2期獲得）昇段の最年少記録もつくることになる。インタビューに答える藤井7段の爽やかさと謙虚さに皆がどれほど癒やされているだろうか。ますますの活躍を期待したいものである。

コロナ禍に関しては東京を中心とする首都圏や大阪府などで感染者が増加している。この状況下で、7月22日より「Go To トラベルキャンペーン」が東京都抜きで始まると西村大臣から宣言され、大混乱が起こっている。「なぜ東京都抜きなのか？」「予約してあるホテル代や交通費のキャンセル料は払ってくれるのか？」などなど、説明が十分に行われていないので、ますます「不安ストレス」が高まるばかりである。わたしは今月末には第2波か、それとも収束か、という結果が明らかになるだろうと予想している。「それまでに重症者や死者が出たらどう責任を取るのか？」、「ほとんどすべての人のＰＣＲ検査を終えてからでもキャンペーン実施は遅くはないのではないか？」と不安を煽るマスコミ人も多いが。

２０２０年７月19日(日)

ここで頻繁に登場する「ＰＣＲ検査」について正確に認識しておきたい。わたしも2月下旬ごろからこの「ＰＣＲ検査」ということばを使ってきたが、ＣＯＶＩＤ－19を検出する分子生物学的手法であるというように、自明のものとしてきた。しかも自動化された検査装置が開発されているので、検体を入れれば短時間で陰性・陽性の判別ができるものと思っていた。しかし、コロナ禍が長く続く中で、「ＰＣＲ検査が多くの人になされれば感染者が特定でき、少なくとも感染拡大が防止できる」という一部のコメンテーターの主張に対し、次第に「本当にそうだろうか？」と疑問をもつようになったのである。実際、一度陽性と判定されても時が経過して陰性となったり、それからまた陽性に転じたりする例が報告されているからでもある。

長い引用になるが、ウィキペディア（https://ja.wikipedia.org/wiki/ポリメラーゼ連鎖反応）によれば、「ポリメラーゼ連鎖反応（polymerase chain reaction）は、DNAサンプルから特定領域を数百万～数十億倍に増幅する一連の反応またはその技術である。英語表記の頭文字を取ってPCR法、あるいは単純にPCRと呼ばれ、ポリメラーゼ・チェーン・リアクションと英語読みされる場合もある。DNAポリメラーゼと呼ばれる酵素の働きを利用して、一連の温度変化のサイクルを経て任意の遺伝子領域やゲノム領域のコピーを指数関数的（ねずみ算的、連鎖的）に増幅することで、少量のDNAサンプルからその詳細を研究するに十分な量にまで増幅することが目的である。医療や分子生物学や法医学などの分野で広く使用されている有用な技術であり、開発者はノーベル賞を受賞した。PCR法は1983年にキャリー・マリス（Kary Mullis）によって発明された。PCR法が確立したことにより、DNA配列クローニングや配列決定、遺伝子変異誘導といった実験が可能になり、分子遺伝学や生理学、分類学などの研究分野で活用されている他、古代DNAサンプルの解析、法医学や親子鑑定などで利用されるDNA型鑑定、感染性病原体の特定や感染症診断に関わる技術開発（核酸増幅検査）、などが飛躍的に進んだ。また、PCR法から逆転写ポリメラーゼ連鎖反応やリアルタイムPCR、DNAシークエンシング等の技術が派生して開発されている。そのため今日では、ＰＣＲ法は生物学や医学を始めとする幅広い分野において、遺伝子解析の基礎となっている」と説明されている。

さらに、右記の中に出てくる逆転写ポリメラーゼ連鎖反応について「逆転写ポリメラーゼ連鎖反応（Reverse Transcription Polymerase Chain Reaction, RT-PCR）とは、ＲＮＡを鋳型に逆転写を行い、生成されたｃＤＮＡ（相補的ＤＮＡ：complementary DNA; mRNAから逆転写酵素を用いた逆転写反応によって合成された二本鎖ＤＮＡ）に対してＰＣＲを行う方法である。ＰＣＲ法では鋳型となるＤＮＡにプライマーを付着させ、ＤＮＡポリメラーゼによって目的のプライマー配列にはさまれるＤＮＡを特異的に検出する。ＰＣＲ法はＤＮＡの検出に用いることは可能であるが、ＲＮＡの検出をすることができない。そこで、ＲＮＡを逆転写によってｃＤＮＡに変換し、そのｃＤＮＡに対してＰＣＲ法を行う。例えば、レトロウイルスなどの一部のウイルスは、ＲＮＡしかもっていない。このようなウイルスの感染を証明する場合、ＲＴ－ＰＣＲ法を用いることになる。細胞内に存在するｍＲＮＡはＤＮＡと比較すると非常に不安定な物質であり、マイナス80℃で凍結保存しても半減期が約半年と言われている。そのため、半永久的にｍＲＮＡ配列を保存する目的でＲＴ－ＰＣＲを用いる場合もある」という説明を加えている。

こうした原理をもとに実際のＤＮＡやＲＮＡの増幅は装置の中で自動的に行われる。すなわち、そのプロセスは「PCRサイクル」といわれ、次のようなステップを踏むことになる。

PCRサイクル

1. 反応液を94℃程度に加熱し、30秒から1分間温度を保ち、2本鎖DNAを1本鎖に分かれさせる。
2. 60℃程度（プライマーによって若干異なる）にまで急速冷却し、その1本鎖DNAとプライマーをアニーリング（annealing：焼きなまし法）させる。
3. プライマーの分離がおきずDNAポリメラーゼの活性に至適な温度帯まで、再び加熱する。実験目的により、その温度は60～72℃程度に設定される。DNAが合成されるのに必要な時間、増幅する長さによるが通常1～2分、この温度を保つ。
4. ここまでが一つのサイクルで、以後、1から3までの手順を繰り返していく事で特定のDNA断片を増幅させる。

PCRサイクルをn回行うと、一つの2本鎖DNAから目的部分を2^n-2n倍に増幅する。ただし、通常は20～40サイクル程度行う事から、近似的には2nの項は無視できる大きさになる。サイクル数をさらに増やすと、時間経過によりDNAポリメラーゼが活性を失い、またdNTP（デオキシリボースを含むヌクレオシド3リン酸：dATPやdGTPなど：化学反応を進めるエネルギー分子）やプライマーなどの試薬が消費し尽くされるため、反応が制限されて最終的には一連の反応は停止する。

留意点

この反応の成否は、増幅対象DNAとプライマーの塩基配列、サイクル中の各設定温度・時間などに依存する。それらが不適切な場合、無関係なDNA配列を増幅したり、増幅が見られないことがある。また、合成過程において変異が起こる可能性も少なからずあるため、使用目的によっては生成物の塩基配列のチェックが必要である。

今回のCOVID－19、すなわち新型コロナウイルスはRNAしかもっていないので、正式にはRT－PCR法で検査することになる。まず「RNAを逆転写によってcDNAに変換し、そのcDNAに対してPCR法を行う」、つまり右記のPCRサイクルを実施して増幅するのである。そこで「留意点」にもあるが、次のような疑問点が出てくる。

①各装置の温度設定や時間設定は統一されているのか。
②加える試薬（ｄＮＴＰやプライマー）の濃度は統一されているのか。
③ウイルスの検出感度や精度は統一されているのか。
④分析結果に基づく陰性・陽性の基準は統一されているのか。

また検体側の問題として、

⑤唾液など、どこから採取されたものなのか。採取部位によって結果に差はないのか。
⑥同一人物であったとしても採取時間によって違いは出ないのか。

検査に実際に携わっている人にはさらなる疑問点があるに違いない。これらを考慮すると、「全感染者を割り出す」ことなど無理難題であり、不可能であることがわかる。それこそ医療資源の無駄遣いであり、コロナ禍に翻弄されることになろう。〝科学的〟という名のもとに平然と不安を煽るような報道が続けられていることを、わたしたちは冷静に認識する必要がある。

2020年7月23日㈭

昨日から「Go To トラベルキャンペーン」が始まった。各地の経済を活性化することや観光業界を支援することを目的として、それを実行した場合、旅費・宿泊費を一部国が負担するというものである。都内の感染者が多いということで、東京からの地方への移動、地方からの東京への移動ともにこのキャンペーンから除外されている。東京都が除外されたことに伴う旅費・宿泊費のキャンセル料をめぐり二転三転の議論があったが、国が負担するということに落ち着いた。

ところが、人の移動が始まった途端、東京都はもとより各地の感染者数が上昇している。神奈川・埼玉・千葉・大阪・兵庫など、第1波のときの最高値を超え始めているのである。「第2波到来！」と警鐘を鳴らす知事や専門家もいるが、現在の結果はキャンペーン前の検査に基づいているので今後1週間の推移を見なければ即断できないとする人もいる。

わたしは、記者会見やマスコミ報道において、いまだに日付ごとの感染者数だけが示され、検査数・重症者数・死亡者数が併記されないことに不満を感じている。せめて「感染者数÷検査数×100＝陽性率」（番組によって時たま目にするが日付ごとではない）くらい明示してくれれば、第1波のときの値と比較することができ、かつ統計的検定を行って有意差を求めることができるだろう。そうしたデータ分析は行われていないのか、行われていても発表できないのか、何とも頼りない専門家集団であり官僚集団であると危惧してしまう。

2020年7月27日(月)

一昨日MLBも無観客で開幕。早速エンゼルスーアスレティックス戦を観る。大谷選手に注目したが、5打席1安打で、彼の走塁ミス(?)もあってかサヨナラ負けだった。放映される姿に彼特有のハツラツさがなかったような気がした。手術後およそ半年、二刀流を完璧にこなすまでには至っていないのであろう。

今日は投手として初登板。朝5時からの中継にかじりつきながら、期待を込めて見守った。ところが、1回1アウトも取れず、3四球・3安打・5失点で降板してしまった。何だかマウンドでの振る舞いもぎこちなく、球速も150km台がやっとであった。しなるような腕の振りが見られず、制球もままならない状態であった。この試合だけで即断はできないが、徐々に慣れながら投球感を思い出していってくれるだろう。苦闘する今シーズン(60試合)、彼のことだから新たな飛躍を遂げてくれるものと、わたしは信じている。

2020年7月29日(水)

梅雨前線が衰えず、東北の山形を中心として線状降水帯が発生した。案の定、「五月雨をあつめて早し最上川」の中流域・4カ所で氾濫が起こった。けが人のみで犠牲者は出ていないようだが、このところ水害のオンパレードである。8月になり台風シーズンとなるとさらに大きな被害をもたらすことになるのだろうか?

コロナ禍も勢いが衰えない。「Go To トラベルキャンペーン」の影響で人の動きが活発化し、各地で感染者数の記録が塗り替えられている。前にも考察したように、「人口密度と感染者数との間に正の相関がある」以上、当然の結果だともいえる。わたしはやがて落ち着くものと思っている。「陽性率」に関する分析結果がなかなか報道されないので、東京都のデータをもとに自分で分析してみた(次頁)。折れ線グラフが陽性率で、棒グラフが陽性者数を表している。TV報道では棒グラフだけが示され、4月10日前後をピークとする第1波、そして7月17日前後をピークとする第2波などと誤解を生むような推論がまかり通っている。陽性率の方を見てみれば、第1波のときは陽性者数の変化と陽性率の変化がほぼ一致するので、感染拡大が進んでいると結論づけても無理はない。しかし、現在の陽性者数はPCR検査数とともに増加しているが、陽性率は低い値を示している。したがって、現在において感染拡大を認めることはできないし、〝第2波〟到来などといえないのである。こんな単純なことがどうして理解されないのだろう、不思議でならない。

2020年7月31日㈮

はや7月も終わりである。コロナ禍と相次ぐ水害を前にして、政府・全国知事会・関係省庁は、対策は打つものの、そのほとんどがタイムリーになっていない。後ろ盾になっている専門家集団も正確かつ詳細な科学的分析に基づいて指針を勧告しているのか、疑念を抱いてしまう。報道関係者やコメンテーターには熱

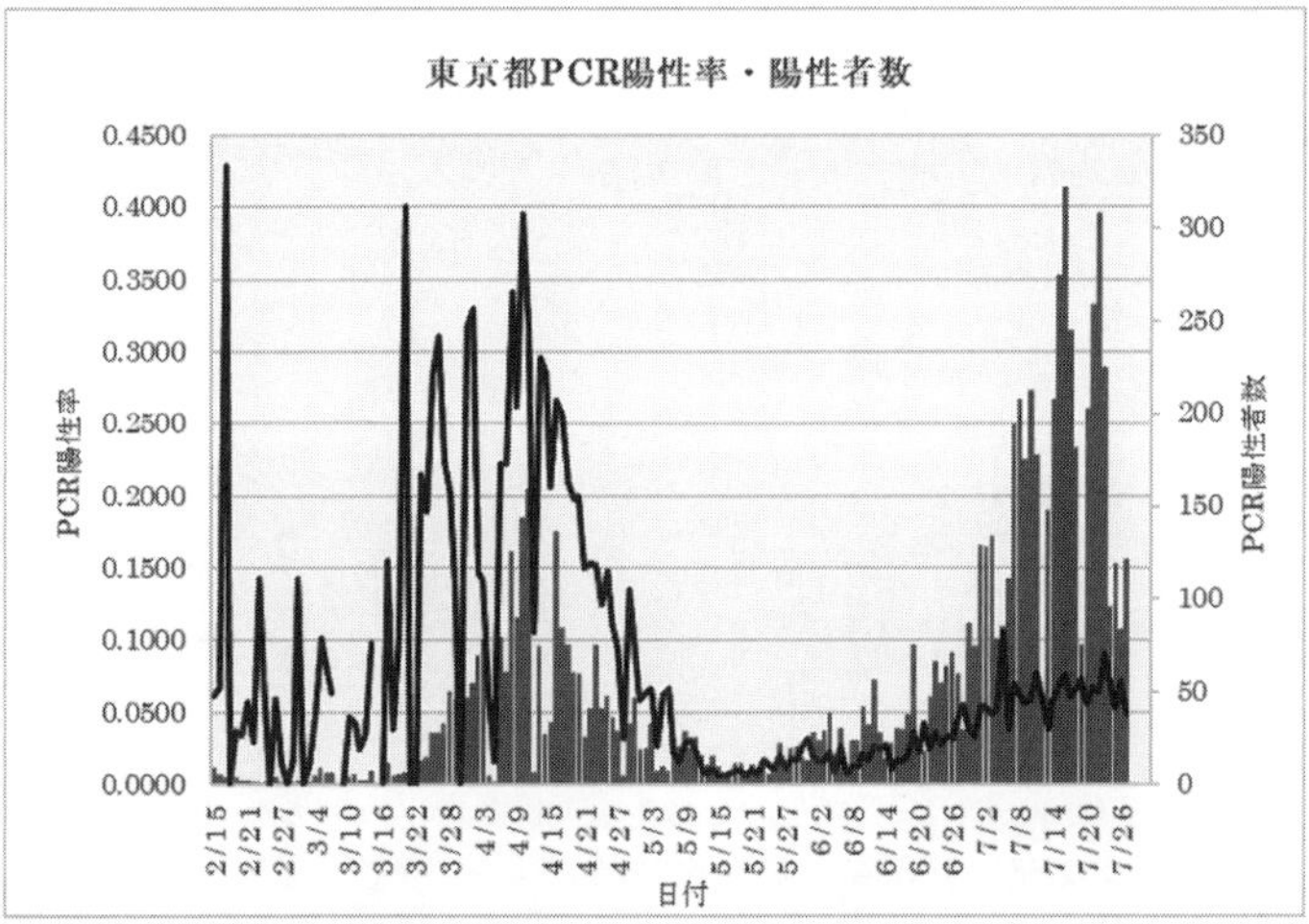

東京都のデータ（2/15〜7/26）をもとにしたPCR陽性率（折れ線グラフ）とPCR陽性者数（棒グラフ）の変化

をもって自説を語るだけの人が多く、冷静に分析している人が見受けられない。結果、わけのわからない風聞のような仮説が独り歩きするばかりで、「不安ストレス」が勢いを増すばかりである。

わたしはそろそろ「コロナからの解放」を図るべきではないかと思っている。先のグラフから考えると、陽性者は100人中5人、(解析はしていないが)重症者は1人以下と推測される。クラスターが発生しても重症者はほとんどいない。したがって、①3密は避ける、②マスクの着用・手洗い・うがいの励行、③東京を除外せず「Go To トラベルキャンペーン」を徹底する、④コロナ専用病棟をつくらないで平常対応とする(隔離しない)、⑤重症者は徹底して優先的に治療する、ということを実践するようにしたらどうだろうか。世界的には死者数の多い国もあるが、上記の①〜⑤が徹底されていないのではないか。わが国における死者数の少なさは、まさに徹底されているからなのではないだろうか。

もう一つの議論として約100年前に流行した「スペイン風邪」との比較がある。日本での感染者は2380万人(当時の人口の約半分)、死者数は約39万人で致死率1・63%という記録が残っている。COVID－19の現時点までの累積感染者数は3万4151人、累積死者数は1017人にのぼっているので致死率は2・98%である。COVID－19の方が症状は軽いといわれるが、致死率は約2倍であるから油断はならない。これをもって秋・冬の第2波・第3波に対して警鐘を鳴らす専門家もいる。「スペイン風邪」の方は収まるまで約2年を要したとのことであるから、COVID－19の場合ももう少し長いスパンで考えないといけないのかもしれない。

わたしはすでに述べてきたように、「ストレス」が重要なカギを握っていると考えている。ストレスと免疫力とは密接な関係があるので、それらが感染とどう結びつくか、またそれらを数値化できる方法がないかを考察しなくてはならない。「ストレス」「免疫力」「感染力」をキーワードにして、相互の関係性を調べてみよう。

2020年8月2日(日)

昨年の8月3日から『自然死への歩み』を書き始めたから、明日で1年が経過したことになる。昨年末の12月31日までを第1巻として、「第3回人生十人十色大賞」へ応募した。本年初頭から第2巻が始まり、現在までに約200枚の分量となっている。あと50枚ほどなので、年末までいかないうちに、第1巻とともに同時刊行ということになるかもしれない。第2巻の方がコロナ禍を扱う記述が多く、発刊が早ければタイムリーになるだろう。わたしの楽観的な異説に非難が殺到すれば、それこそ願ったり叶ったりである。

ここのところ、打者としての大谷翔平選手が高く評価されている。7月30日のマリナーズ戦で第1号3ラン、31日でも第2号3ラン・ホームランを打ったからである。いずれも中継投手が不調でA軍は連敗したが、彼の美しい軌道を描くホームランはまさに「ビッグフライ・オオタニサーン！」である。明日は2度目の先発登板が予定されている。アストロズの強力打線が相手なので、前回同様ボコボコにされるか、それとも復調ぶりを発揮して今季投手として1勝をあげられるか、実に楽しみである。彼に笑顔が戻っているので、わたしは大丈夫だと確信している。

さてコロナ禍にふれておこう。東京だけでなく、大阪・名古屋など大都市でも感染者の増加が報告されている。前日を上回る感染者数になっているので、〝感染拡大〟が確実に起こっているというコメンテーターが多い。〝第2波〟を断定づける人は少ないが。

相変わらず日ごとの感染者数の明示だけなので、陽性率を併せてグラフに載せてもらいたいと、わたしは不満を感じている。すでに示したように、第1波のときはPCR陽性率の変化とPCR陽性者数の変化がよく一致していた。しかし、7月中旬からの報道関係者がいう第2波のところはPCR陽性者数は増大しているものの、PCR陽性率はその増加には追随していない。すなわち、PCR検査が徹底されて陽性者（＝感染者）の増加が認められるだけで、その割合である陽性率はほぼ変化していないということである。陽性率

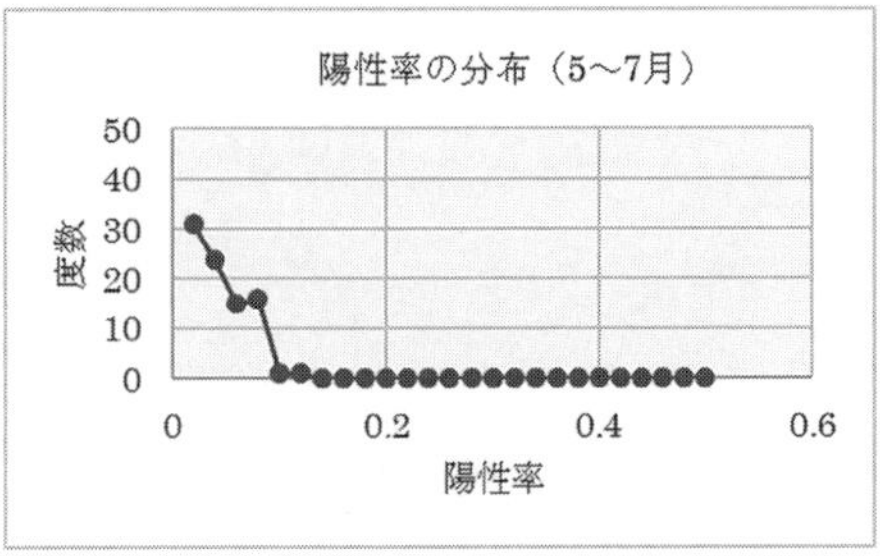

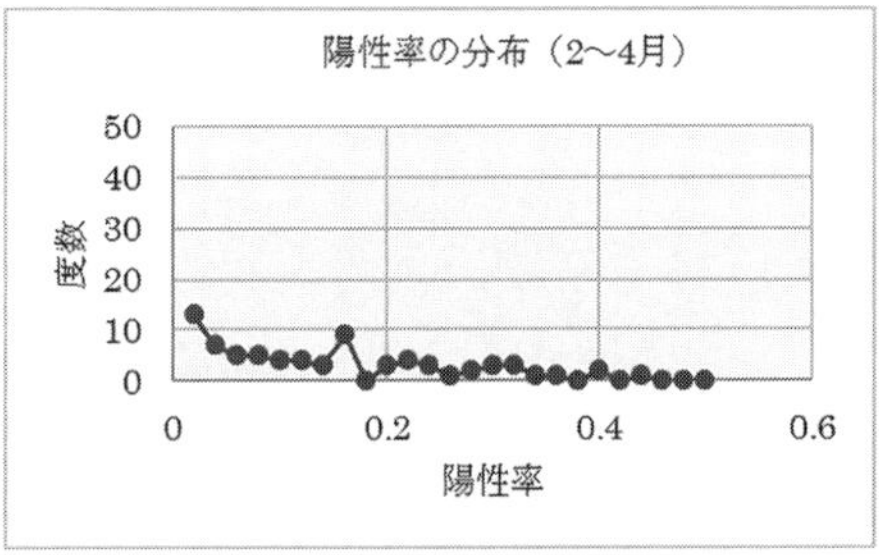

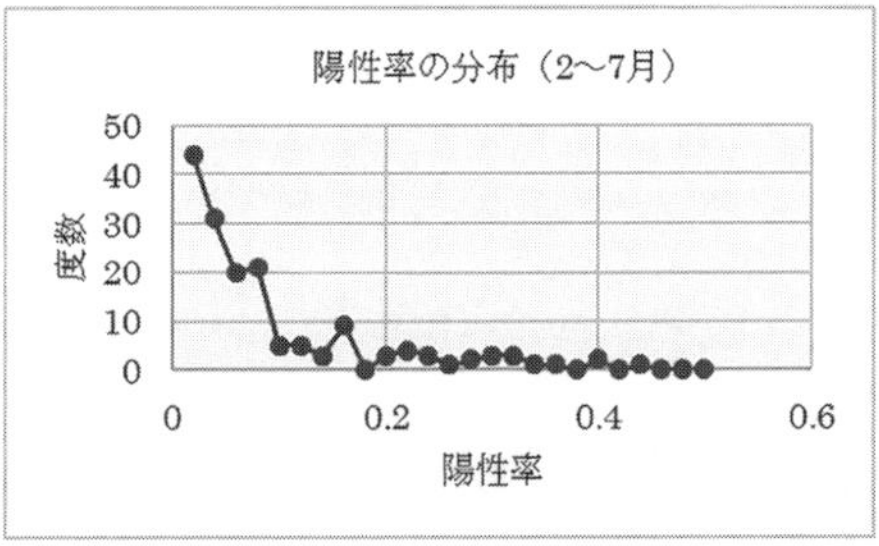

東京都のデータ（2/15〜7/26）をもとにした陽性率の分布

ヨコ軸は0.02毎の陽性率の階級、タテ軸はその階級の度数を表す。0.02〜0.10の陽性率が多く、全体のほぼ80％を占める。もし0.2〜0.3までの階級に陽性率の度数がピークを形成するようになれば、感染拡大が起こっているといえる。

の上昇が認められてはじめて感染拡大といえるのであるから、現状ではそうはいえないのである。マスコミ人やコメンテーターの人たちがこの辺のことを理解しないで主張しているだけならば、不安を扇動する輩といわれてもしょうがない。

そこでわたしなりに陽性率について分析してみた。東京都のデータをもとに2月15日からの陽性率を算出し、その分布を調べたのである。正規分布を予想していたのであるが、むしろポアソン分布に似た傾向を示した。第1波のときと第2波らしきところで分けた分布、すべてを含めて作成した分布を示した。交通事故のようなまれに起こる現象がポアソン分布といわれるので、それにほぼ従う陽性率の分布は低確率の階級にピークを形成すると説明できる。これが高確率の階級にシフトするようになれば、感染拡大が起こっているといえるだろう。ほかの大都市のデータでも同様に分析したらどうだろうか？

2020年8月4日㈫

ようやく梅雨が明け、学校では短い夏休みが始まった。東京だけでなく大阪・名古屋・福岡などで感染者が増加していることが報道されている。担当大臣や各知事が、緊急事態宣言を発令しないものの、3密を避けること、多数での飲食の自粛、移動の自粛など、第

1波のときと同じようなことを訴えている。営業が再開された店にも時短が求められているので、自粛や規制がいつまで続くのか、場合によっては閉店や倒産を予想しなくてはならないと嘆きの声が溢れ始めている。

某TV局のコメンテーターなどは「100年に1度のコロナ禍だから、全員までに及ぶぐらい徹底的にPCR検査を行って感染者を隔離するか、移動の自由を禁じて自宅にこもるしかない。それ以外に感染拡大を防ぐ方法はない」と豪語している。わたしは2月ごろからその人の発言に注目してきたが、5カ月経った今でも同様の発言を繰り返しているので、学習能力のないエセ・ジャーナリストと疑ってしまう。しかも、事あるごとに取材の内容を持ち出して責任転嫁を図っているので、呆れてものも言えない。因みにその人も「陽性率不要論者」の一人で、「感染者の増加＝感染拡大」と考える人である。

すでに述べたように、陽性率は上昇していないのだから感染拡大は起こっていないのである。東京都のデータを直近の8月2日分まで拡大して図示したが（次頁）、陽性率は5％ほどで推移している。第1波のときは陽性者の増減と陽性率の増減が同じ傾向を示していた。増加のフェースが感染拡大を示唆し、減少のフェースが感染縮小を示唆するわけである。第1波のときは5％から40％へ変化しているので感染拡大が起こっていたことになる。7月上旬からの陽性者の増加をもって第2波の到来とマスコミ人ほか関係者は決めつけているのだが、陽性率は５％から７％ほどに変化しているだけであるから、感染拡大が起こっているとはいいがたい。わたしでさえ気づいていることなのだから、関係省庁の官僚や都道府県の関係部局の中にも気づいている人がいるに違いない。しかし、一向にそうしたデータ分析からわかったことが伝わってこない。その理由として、マスコミ人にはそうした分析結果を正しく理解する人がいないのではないかと、わたしは考えている。

　大谷選手が心配である。昨日アストロズ戦に２回目の登板を果たしたが、１回は３者凡退に打ち取ったものの、２回は２アウトから押し出し４球で２

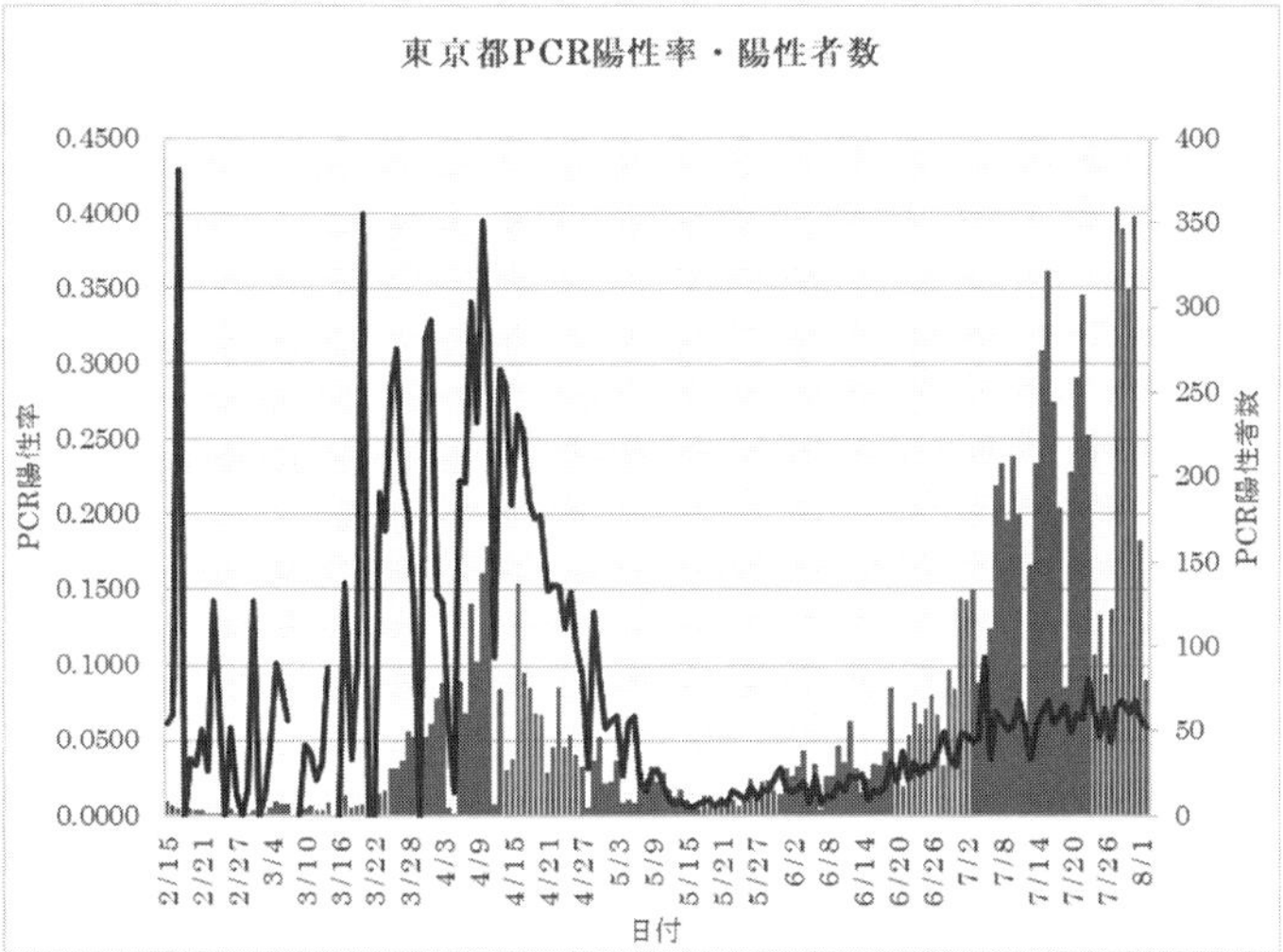

東京都のデータをもとにしたPCR陽性率（折れ線グラフ）とPCR陽性者数（棒グラフ）の変化（2/15〜8/2）

点を献上して降板となった。コントロールは利かず、球速も落ち、右手をかばうようなしぐさが多かった。すぐ病院へ行き、MRI検査を受けたとのことである。結果は発表されていないが、再手術の可能性も出てくるのではないか、二刀流は断念せざるを得ないのではないかと、彼の将来を危ぶむ声も出始めている。

わたしは、リハビリ中に実戦形式の登板がなく、〝1球入魂〟の投球ができなかったからではないかと考えている。紅白戦などと実戦のマウンドでは体の動き、心の動きともに大きく異なり、「少し違うな」という違和感を心身ともにもっていたのではないかと思う。もしそうだとすれば、実戦慣れしだいで必ず復調するに違いない。ベーブ・ルース以来の二刀流の天才がそう簡単に「決定《けつじょう》の道」をあきらめるはずがない。

2020年8月8日(土)

昨日、大谷選手が打者として復帰して、早速第3号を放った！　投手としての登板はないようだが、DHとして活躍しそうである。20本ぐらいはと秘かに期待している。

これまた昨日のことであるが、ハリアーの定期点検であった。車の方は問題なく、オイル交換やワイパー交換ぐらいで済んだ。夏のサービスキャンペーンをやっていて、何とクジ引きで1等「自転車」が当たってしまった。全く欲がなかったので、まさに「無量宝珠不求自得」を感じてしまった。まだ組み立てていないが、デザインもよさそうな代物である。「少しは自転車こいで運動しろ」ということか！

本日、コロナ禍対策も担当している西村康稔経済再生担当大臣への提言を完成させた。以下のような内容で、ここにも掲載しておく。現在メルアドを問い合わせ中で、返信が来たら添付で送稿したいと考えている。

西村康稔経済再生担当大臣への提言

1　コロナ禍に対する現状認識

わが国では本年1月下旬より新型コロナウイルスによる新型肺炎が報道されるようになった。WHOは2月5日に緊急事態宣言を出し、2月15日にCOVID―19と命名しパンデミックの恐れありと発表した。その時点での世界の感染者数は中国を中心として約6万人、死者数は約1300人であった。その後世界各国へ広がり、感染者数は1829万5434人、死者数は69万4233人となっている（8月4日現在）。当初の死亡率は約2・2％、現在では約3・8％となり、およそ1・7倍になっている。わが国の現在（8月4日）の累積感染者数は4万2097人、死者数は1035人なので、死亡率は約2・5％と低い値を保っている。

このほか、PCR検査数・陽性率（後述）・重症化率などにもふれなくてはならないが、ここでは割愛する。また、COVID－19に対する治療法や治療薬については、現在治験が進んでいるものはあるものの、確立したものはない。感染方法が接触・飛沫・エアロゾルなどによると考えられるので、それらを防ぐマスクの着用、手洗いの励行、3密を避ける、外出の自粛などが呼び掛けられてきた。わが国ではそれらが徹底されているので、感染者数や重症者数が低い値に抑えられているのだろう。

しかし、それらは反面において経済へ多大な影響を及ぼすことも経験されてきた。飲食・イベント・旅行・ホテル業界がそのあおりを受け、業績は減少を続けている。閉店を余儀なくされ、倒産せざるを得ない業種も数多く見受けられる。このままコロナ禍が続けば、感染しなくとも生きていけない人々が出てくることは間違いない。「感染拡大の防止」と「経済不況からの脱出」を両立させることが喫緊の課題である。

2　PCR検査

ここで「PCR検査」に関して説明することは不適切であると思うが、ウィキペディアでも「留意点」が提示されているように自明な点ばかりではないので、理解を確認しておきたいと考える。基本的な認識を述べたうえで、わたしの疑問点を提示してみたいと思う。

わたしは本年2月下旬ごろからこの「PCR検査」ということばを、COVID－19を検出する分子生物学的手法であると自明のものとしてきた。しかも自動化された検査装置が開発されているので、検体を入れれば短時間で陰性・陽性の判別ができるものと思っていた。しかし、コロナ禍が長く続く中で、「PCR検査が多くの人になされれば感染者が特定でき、少なくとも感染拡大が防止できる」という一部のコメンテーターの主張に対し、次第に「本当にそうだろうか？」と疑問をもつようになったのである。実際、一度陽性と判定されても時が経過して陰性となったり、それからまた陽性に転じたりする例が報告されているからでもある。

長い引用になるが、ウィキペディアによれば、「ポリメラーゼ連鎖反応（polymerase chain reaction）は、DNAサンプルから特定領域を数百万～数十億倍に増幅する一連の反応またはその技術である。英語表記の頭文字を取ってPCR法、あるいは単純にPCRと呼ばれ、ポリメラーゼ・チェーン・リアクションと英語読みされる場合もある。DNAポリメラーゼと呼ばれる酵素の働きを利用して、一連の温度変化のサイクルを経て任意の遺伝子領域やゲノム領域のコピーを指数関数的（ねずみ算的、連鎖的）に増幅することで、少量のＤＮＡサンプルからその詳細を研究するに十分な量にまで増幅することが目的である。医療や分子生物学や法医学などの分野で広く使用されている有用な技術であり、開発者はノーベル賞を受賞した。ＰＣＲ法は１９８３年にキャリー・マリス（Kary Mullis）によって発明された。ＰＣＲ法が確立したことにより、ＤＮＡ配列クローニングや配列決定、遺伝子変異誘導といった実験が可能になり、分子遺伝学や生理学、分類学などの研究分野で活用されている他、古代ＤＮＡサンプルの解析、法医学や親子鑑定などで利用されるＤＮＡ型鑑定、感染性病原体の特定や感染症診断に関わる技術開発（核酸増幅検査）、などが飛躍的に進んだ。また、ＰＣＲ法から逆転写ポリメラーゼ連鎖反応やリアルタイムＰＣＲ、ＤＮＡシークエンシング等の技術が派生して開発されている。そのため今日では、ＰＣＲ法は生物学や医学を始めとする幅広い分野において、遺伝子解析の基礎となっている」と説明されている。

さらに、右記の中に出てくる逆転写ポリメラーゼ連鎖反応について「逆転写ポリメラーゼ連鎖反応（Reverse Transcription Polymerase Chain Reaction, RT-PCR）とは、ＲＮＡを鋳型に逆転写を行い、生成されたｃＤＮＡ（相補的ＤＮＡ：complementary DNA; mRNAから逆転写酵素を用いた逆転写反応によって合成された二本鎖ＤＮＡ）に対してＰＣＲを行う方法である。ＰＣＲ法では鋳型となるＤＮＡにプライマーを付着させ、ＤＮＡポリメラーゼによって目的のプライマー配列にはさまれるDNAを特異的に検出する。PCR法はDNAの検出に用いることは可能であるが、RNAの検出をすることができない。そこで、RNAを逆転写によってcDNAに変換し、そのcDNAに対してPCR法を行う。例えば、レトロウイルスなどの一部のウイルスは、RNAしかもっていない。このようなウイルスの感染を証明する場合、RT－PCR法を用いることになる。細胞内に存在するmRNAはDNAと比較すると非常に不安定な物質であり、マイナス80℃で凍結保存しても半減期が約半年と言われている。そのため、半永久的にmRNA配列を保存する目的でRT－PCRを用いる場合もある」という説明を加えている。

こうした原理をもとに実際のDNAやRNAの増幅は装置の中で自動的に行われる。すなわち、そのプロセスは「PCRサイクル」といわれ、次のようなステップを踏むことになる。

PCRサイクル

1. 反応液を94℃程度に加熱し、30秒から1分間温度を保ち、2本鎖DNAを1本鎖に分かれさせる。
2. 60℃程度（プライマーによって若干異なる）にまで急速冷却し、その1本鎖DNA

とプライマーをアニーリング（annealing：焼きなまし法）させる。

３．プライマーの分離がおきずＤＮＡポリメラーゼの活性に至適な温度帯まで、再び加熱する。実験目的により、その温度は60～72℃程度に設定される。ＤＮＡが合成されるのに必要な時間、増幅する長さによるが通常１～２分、この温度を保つ。

４．ここまでが一つのサイクルで、以後、１から３までの手順を繰り返していく事で特定のＤＮＡ断片を増幅させる。

ＰＣＲサイクルをｎ回行うと、一つの２本鎖ＤＮＡから目的部分を$2^n - 2n$倍に増幅する。ただし、通常は20～40サイクル程度行う事から、近似的には2nの項は無視できる大きさになる。サイクル数をさらに増やすと、時間経過によりＤＮＡポリメラーゼが活性を失い、またｄＮＴＰ（デオキシリボースを含むヌクレオシド３リン酸：ｄＡＴＰやｄＧＴＰなど：化学反応を進めるエネルギー分子）やプライマーなどの試薬が消費し尽くされるため、反応が制限されて最終的には一連の反応は停止する。

留意点

この反応の成否は、増幅対象ＤＮＡとプライマーの塩基配列、サイクル中の各設定温度・時間などに依存する。それらが不適切な場合、無関係なDNA配列を増幅したり、増幅が見られないことがある。また、合成過程において変異が起こる可能性も少なからずあるため、使用目的によっては生成物の塩基配列のチェックが必要である。

今回のCOVID－19、すなわち新型コロナウイルスはRNAしかもっていないので、正式にはRT－PCR法で検査することになる。まず「RNAを逆転写によってcDNAに変換し、そのcDNAに対してPCR法を行う」、つまり右記のPCRサイクルを実施して増幅するのである。そこで「留意点」にもあるが、次のような疑問点が出てくる。

①各装置の温度設定や時間設定は統一されているのか。
②加える試薬（dNTPやプライマー）の濃度は統一されているのか。
③ウイルスの検出感度や精度は統一されているのか。
④分析結果に基づく陰性・陽性の基準は統一されているのか。

また検体側の問題として、

⑤唾液など、どこから採取されたものなのか。採取部位によって結果に差はないのか。
⑥同一人物であったとしても採取時間によって違いは出ないのか。

検査に実際に携わっている人にはさらなる疑問点があるに違いない。これらを考慮すると、「全感染者を割り出す」ことなど無理難題であり、不可能であることがわかる。むしろ推測統計学で用いられるサンプリングに基づくデータで十分であり、現在行われている統計解析を続ければよいと考える。「データ収集が無作為でない」という批判があるが、感染者の発生はほぼat randomと考えられるので、その批判は当たってはいない。関係省庁や各都道府県・部局の関係者は精力的にデータ解析を続けてもらいたいと思う。

3　陽性率の妥当性

今回のコロナ禍に関して、東京都の関係部局は精力的に分析を進め、そのデータを早くから公表してきた。各道府県も同様に統計解析を行ってきたに違いない。マスコミ報道には空間的に広く時間的に長い観点からのものが少なく、際立つ点に右往左往することが多く、それが視聴者に不安を与えることになってきたのではないかと思う。

まず感染者に関してだが、東京都のデータをもとにした「㈱ＰＲエージェンシー

(https://tousinojikan.com/covid-19/)」が作成したグラフは見事なものであったと、わたしは考える。(グラフの転載は許可されなかったので、サイトで検索されたし)人口密度をヨコ軸に取り、タテ軸は人口1人当たりの感染者数比率を取っている。そのデータ解析によると、4月では相関関係が不明瞭であったが、5月上旬ごろから次第に「正の相関」が見て取れるようになる。相関係数が記載されていないので、「強い相関」なのか「やや強い相関」なのか区別はつかない。6月1日に追記されたグラフではその相関関係がますます明瞭になっている。加えて、線形近似をすれば、その直線上から新宿区・港区・千代田区・渋谷区・台東区のデータが上方へ飛び出していることが認められる。

ここから読み取れることは、「人口密度が高ければ感染者も多い」、「上記5区は住民だけでなく通勤者も感染者数を押し上げる」という点である。感染経路やクラスター発生が重大な影響をもたらすと喧伝されてきたが、何のことはない「人が多ければ感染者も多い」という結論である。その点、3密を避けたり、マスクをしたり、手洗いを励行したり、外出を控えたりしてきたことが功を奏したといえるだろう。

次いで「陽性率」の問題である。連日「新規感染者数」の棒グラフが示されるばかりで、その増加ぶりから〝第2波〟というコメンテーターも多く、一段と不安を煽っている感がある。それぞれの月日におけるPCR検査数が異なれば当然新規感染者数も異なるから、時間軸上の2点で増減の比較はできないのである。その点、東京都の公表データにはPCR陽性者数・PCR陰性者数が明記されているので（最近では抗原検査や抗体検査も含まれているがここでは煩雑になるので除外する）、陽性率＝陽性者数／検査数（陽性者数＋陰性者数）が計算できる。

4月上旬をピークとする第1波のときは、PCR陽性者数の変化（折れ線グラフ）とPCR陽性者数（＝感染者数：棒グラフ）の変化がよく一致する。陽性率はいわば検査数で基準化されているといえるので、陽性率の増加は感染拡大を、その減少は感染縮小を示すことになる。したがって、第1波のときの3月21日ごろから4月10日ごろまでは明らかに陽性率3％から40％まで感染拡大が起こっていたといえる。ところが、マスコミのいう第2波の始まりである6月20日ごろから陽性者数（＝感染者数）は増加し始めるが、陽性率は5％から7％で推移している。この推移をもって「感染拡大」「第2波」といえるだろうか。「Go To トラベルキャンペーン」が7月22日から始まったが、東京都は除外されているせいか陽性率はほとんど変化していない。

一部マスコミのいうように陽性者数の変化で「感染拡大・縮小」を決めるのか、それともここで展開してきた陽性率の変化で「感染拡大・縮小」を決めるのか、どちらが正しいだろうか。わたしは後者の立場なのだが、しかし、ここで注意しなくてはならないことが

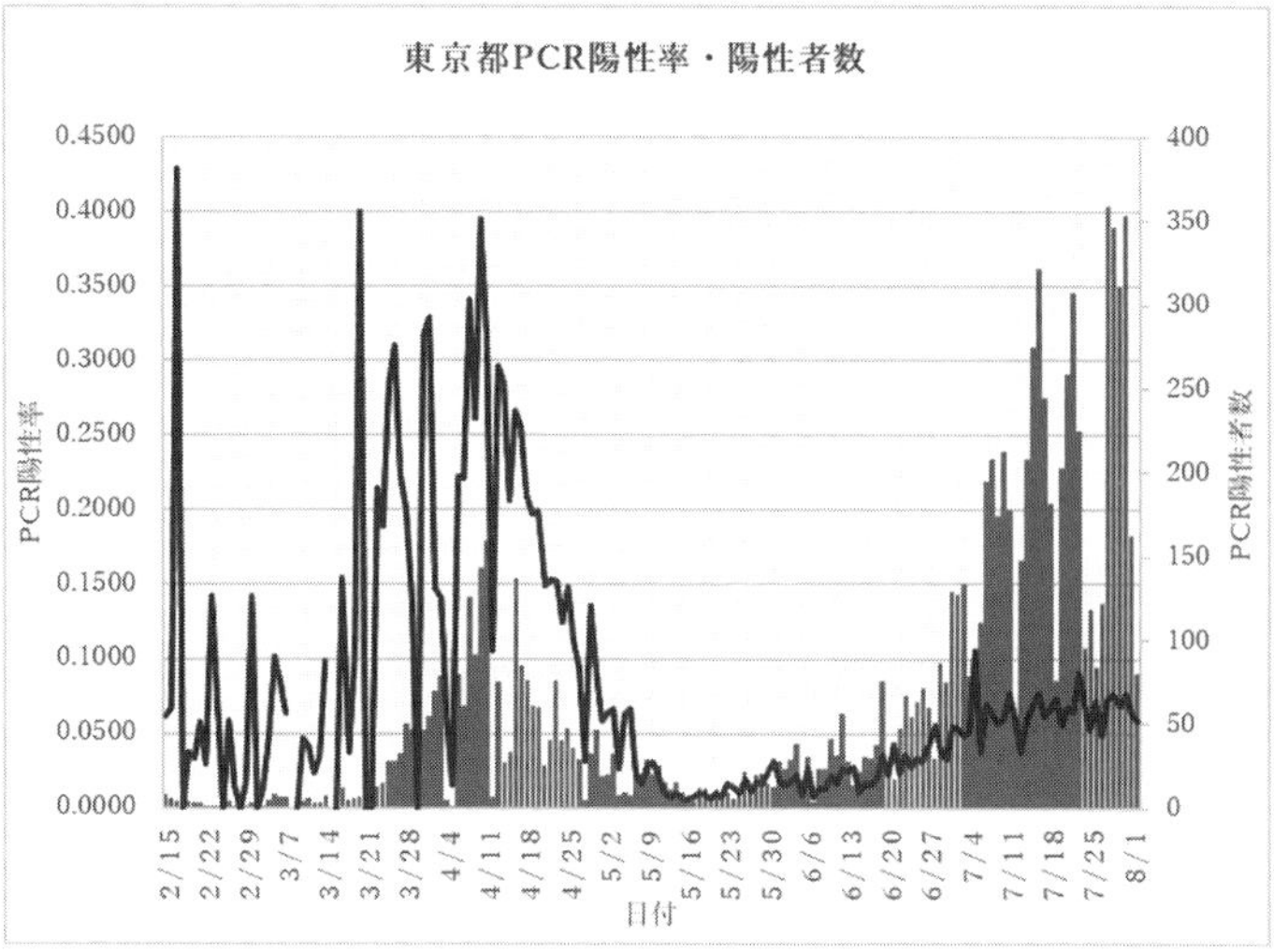

東京都のデータ（2/15〜8/2）をもとにしたPCR陽性率（折れ線グラフ）とPCR陽性者数（棒グラフ）の変化

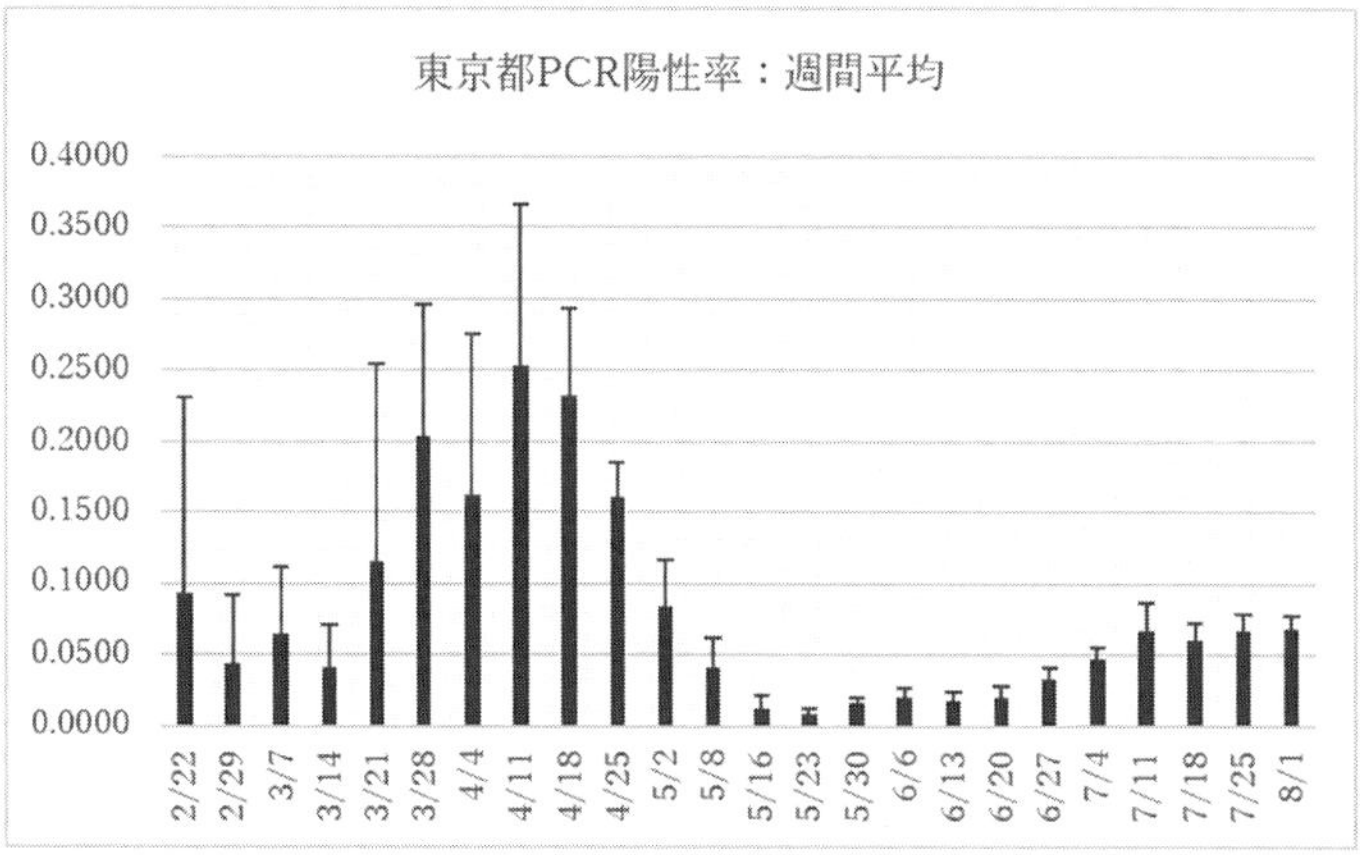

ある。陽性率の変化が大きければ「感染拡大」といえ、小さければそういえないのだろうか、という問題である。そこで東京都のデータをもとに1週間ごとの平均陽性率（±標準偏差）を求めてグラフ化してみた。

前記のグラフの二つの時点の平均値に関してt検定を行ってみた。たとえば、3月14日までの1週間の平均陽性率と4月11日までの1週間の平均陽性率との間ではp＝0・0017となり、1％の危険率で有意差があるという結果になった。すなわち、その差は99％の確率で正しいと言い切れるということである。ところが3月21日までの平均陽性率と4月11日までの平均陽性率を検定すると、p＝0・0979となり、5％の危険率に広げても有意差がないことになる。見た目の平均値には差があっても、バラツキが大きいと差があるとは言い切れなくなるわけである。

同様に、6月13日までの週間平均陽性率と7月11日までのものとでt検定を行うと、p＝0・00064となり、0・01％以下の危険率で有意差ありとなった。（ちなみにマウスを用いて薬の効果を検討する場合、有意差検定には0・1％や0・01％の基準が設定される）平均値の変化は微小であってもバラツキも少ないので、両者の間に確実な差があるといえる結果になったわけである。週間平均陽性率の変化がわずかであっても確実に上昇しているので、「感染拡大」が起こっているといえなくもない。

以上のように、「陽性率」は「PCR陽性者数÷PCR検査数」というように基準化されたものなので、いろいろな時点での、また異なる地域での陽性率を比較できるというメリットをもっている。東京都だけでなく他の道府県でもそうした解析が行われていると思うので、それらを比較することによって時空間的な「感染マップ」が作成できるだろう（気象庁の作成する「全国降水量マップ」に類似のものができ、感染拡大ルートなどが俯瞰できるようになるかもしれない）。

4　ウイルス感染のメカニズム

コロナウイルスはそれ自体では増殖することができないので、細胞に侵入してRNA遺伝子をその細胞につくらせ、結果、その細胞は破壊され増殖したウイルスが細胞外へ放出される。これが感染現象であり、軽症ですむ場合もあれば重症化する場合もある。このプロセスの詳細に関しては、ウイルス学を専門とする山本典生・東海大医学部教授によって次のように説明されている。すなわち、新型コロナウイルスの感染は人間の細胞膜にある「ACE2」（Angiotensin-converting enzyme 2：アンジオテンシン変換酵素Ⅱ）タンパクにウイルスが結合するところから始まる。ACE2は肺の奥の細胞に多く発現しているところから重症肺炎が起きやすい。また、心臓や腎臓にも発現しているので多臓器不全にもつながりやすい。舌の細胞でも発現しているので味覚障害も説明できると、最近の知見に基づいた明瞭な説明をされている。

こうした感染プロセスのほか、その後の免疫システムの機能異常、たとえばサイトカインストームなども重症化に一役かっていると思われるが、わたしは専門外なので、それ以上の説明はできない。ここではユニークな観点からの研究にふれておきたい。

福岡大学の小柴琢己教授のグループは興味深い、以下のような研究成果を報告している。

「私たちの細胞の中にはミトコンドリアとよばれる細胞小器官が存在し、その主な働きは代謝活動に必要なエネルギーを創り出すことです。また、ミトコンドリアの機能にはエネルギー産生以外にも細胞にとって重要な役割が知られており、例えばカルシウム濃度の調節や脂肪酸の酸化などが挙げられます。さらに最近の研究からは、ミトコンドリアはインフルエンザウイルスをはじめとしたRNAをゲノムにもつウイルスに対する免疫反応にも関係していることが明らかになってきました。インフルエンザウイルスは細胞に感染すると、その細胞内でウイルスの部品となる様々なタンパク質やRNAを作りだし、新たなウイルスが複製されます。一方、私たちの体の中ではウイルスに対する免疫システムが働き、ウイルスの増幅を阻止しようとしています。ミトコンドリアは、そのような免疫発動のプラットフォームとしても使われています。これまでにインフルエンザウイルスはPB

1－F2（インフルエンザウイルスのゲノム・PB1遺伝子中にコードされているタンパク質の一つで、各亜型ウイルスで発現されるタンパク質の長さが異なっている）と呼ばれるタンパク質を感染細胞内で作り出し、ミトコンドリアの機能に影響を及ぼしていることは明らかになっていましたが、その詳しい仕組みに関してはよく分かっていませんでした。今回、研究グループは、病原性の異なるインフルエンザウイルス亜型間で作られるPB1－F2タンパク質の長さの違いに着目して、ミトコンドリアとの親和性に関する詳細な解析を行いました。その結果、多くの高病原性（H5N1型）ウイルス間で存在しているタイプの90アミノ酸から成る長鎖PB1－F2は、特異的にミトコンドリアに運ばれている一方で、低病原性（H1N1型）ウイルスの主なタイプである57アミノ酸より構成される短鎖PB1－F2はミトコンドリアに局在できないことを明らかにしました。また、長鎖PB1－F2はミトコンドリア内に運ばれる際に、その入り口となるTom40（ミトコンドリアの外膜に局在する膜透過装置〈チャネル〉の一部で、細胞質側で合成されたタンパク質がミトコンドリア内に輸送される際の『穴』の役割を担っている）チャネルタンパク質の中を経由して目的の場所に輸送され、その蓄積によりミトコンドリアの形態を異常化し、最終的に細胞の免疫応答における機能低下をもたらすことを発見しました。このようなミトコンドリアの異常は、低病原性ウイルスでみられるタイプの短鎖PB1－F2では確認できませんでした。以上の結果より、ＰＢ１－Ｆ２はその長さの違いで細胞に及ぼす影響が異なっていることが明らかになりました」と。

長い引用になったが、インフルエンザウイルスが細胞内小器官でＡＴＰ産生工場であるミトコンドリアの機能を活性化したり不活性化したりするということである。ＣＯＶＩＤ－19コロナウイルスにも同様な作用があるかどうかは不明であるが、新たな薬剤開発のためにも挑戦してみる研究課題ではないかと考えられる。もう一つは、アメリカ・ホワイトハウスが発表した政府機関による謎めいた研究結果である。トランプ大統領の定例会見の折、国土安全保障省長官の科学技術顧問を務めるウィリアム・ブライアン氏が４月23日に「太陽光によって新型コロナが急速に不活性化することがわかった」と明らかにしたのである。実験はメリーランド州の国立生物兵器分析対策センター（ＮＢＡＣＣ）で実施されたという。示されたスライドによると、ステンレス製の無孔質の表面上のウイルス量の半減期は気温21～24度、湿度80％の暗所で６時間だったが、太陽光が当たると半減期は２分にまで縮まったそうである。新型ウイルスが空気中に漂う状態になった場合の半減期は温度21～24度、湿度20％の暗所で１時間だったのが、太陽光が当たると１分半にまで減少した。太陽光に含まれる紫外線がその不活性化をもたらすと考えられている。データや論文が未公開なので、早急に詳細な結果が発表されることが期待されている。もしこの事実が検証されれば、「Go To トラベルキャンペーン」はむしろ推奨されることになりうる。

5　ストレス概念の導入と新たな対策

前述したように、いまだに感染ルートや感染メカニズムが十分には明らかにされていない。わたしは、ウイルス側の問題とともに、感染の対象となるわれわれ受け手側の問題もあるのではないかと考えている。同じような場所にいて、同じ時間を過ごしていても感染する人もいれば感染しない人もいるというように差異があるからである。

そうした受け手側の問題を考えるとき、第一にあげられるのがストレスの問題である。森林総合研究所などを中心とした研究チームによって、早くから「ストレスと森林浴」に関する研究がなされている。さまざまな場所において「森林浴効果」の実証実験が行われ、「脳の前頭葉の活動が沈静化」、「交感神経活動の抑制と副交感神経活動の亢進」、「ストレスホルモンの一種であるコルチゾールの濃度低下」、「ナチュラルキラー細胞の活性」などの効果が明らかにされてきた。このうち、脳と自律神経（交感／副交感神経）の変化は身体のリラックス状態をもたらすと考えてよい。血中および唾液中コルチゾールはストレスを感じると分泌量が増すので、濃度が低下したということはストレスを感じなくなったと考えられる。ナチュラルキラー細胞には体の免疫力を高める効果があり、活性化することでガンの予防ができることにつながる。この辺の正確なエビデンスについては専門家に譲りたいと思う。

今回のコロナ禍でわたしが注目している点が唾液中のコルチゾールの動態である。ストレスがかかるとコルチゾールなどが多量に分泌され、唾液の粘性が上昇する。口腔内の乾燥が進んだり、ネバネバ状態になったりするわけである。そこへウイルスが侵入すると、鼻腔・口腔・上気道などにウイルスは留まりやすくなり、そうした部位の細胞へ感染しやすくなると考えられる。ストレスがないと唾液がサラサラ状態になって、ウイルスが侵入しても消化器系へ送られてしまい感染の起こる確率は低下する。したがって、ウイルス感染の発生は受け手側のストレス状態にも関係するのではないかと考える。

ストレスをもたらすストレッサーには高温・多湿・異臭・化学物質などの物理的ストレスもあれば、職場・地域・家庭などの人間関係に基づく心理的ストレスもある。強いストレスを長い間受けていると、胃潰瘍や胸腺委縮や副腎の肥大などが起こり、がんの発生・免疫力の低下などをもたらす。都市部における「通勤ストレス」や、コロナ禍によって将来が見えない「不安ストレス」もある。

こうした観点から考えると、テレワークやソーシャル・ディスタンスなどはストレス抑制に貢献しているのではないかと考えられる。一方、外出自粛や「Go To トラベルキャンペーンペーン」の除外などは逆にストレス亢進をもたらしているのではないか。会食やイベントの自粛なども強すぎると、それこそ経営が成立しないという「不安ストレス」を抱かせてしまう。バランスが大事であるが、「○○してはいけない」というネガティブキャンペーンだけでなく、「△△しよう」というポジティブキャンペーンに関する施策をつくり、実行してもらいたいものである。

2020年8月11日㈫

猛暑日が続いている。コロナだけでなく熱中症も気をつけなければならない。そして台風5号が日本海側を北上し、秋田や北海道で豪雨をもたらしている。加えて、6号、7号が発生し、これまた北上して日本列島へ向かいそうである。

お盆週間が始まり、連日感染者の増加が報道されるので「もうウンザリだ!」感が溢れている。ここに至っても「陽性率」や「回復者・退院者数」がなぜ出てこないのだろうと訝しく思っている。しかし、高速道は渋滞もなく流れているので、「外出自粛が励行されている!」と感心しながら、その一方でトップに立つ人の「コロナ禍を収束させる」との強い思いが伝わってこないと呆れている。

すでにコロナ禍がわが国でも注目されてから約半年、感染者は累積で5万人を超えた。しかし、退院者数は累計で3万2805人、重症者数は162人、死者数は1046人(8月9日現在)であり、諸外国に比べて回復者は多く、重症化して死亡するケースは少ないといえる。これには医療関係者の並々ならぬ努力のもと、既存の抗生物質を使用した薬物療法などが功を奏していると考えられ、何より感染者の自然治癒力による結果などが考えられる。マスコミはこうした回復事例などを多数取材し、具体的に報道してもらいたい。「不安ストレス」を与えるのではなく、払拭してもらいたいものである。

西村大臣の秘書の方から、提言の送り先メルアドが送信されてきた。誠意ある対応に感謝しつつ、早速「西村康稔経済再生担当大臣への提言」をメール添付で送らせていただいた。どのように参考にしていただけるか不明であるが、本当に嬉しいかぎりである。

気分よく、関越道を使って高崎の八幡霊園へ行くことにした。姉たちには連絡せず単独行である。猛暑日のため、こまめに水分を補給しながら、食事やお土産を楽しむことにした。上里SAでのランチは「武州牛のビーフシチュー」で、煮込んである牛肉の柔らかさと旨みが半端でなく、〝大当たり!〟と感動してしまった。良いこと尽くめなので「サマージャンボ宝くじ」を買ってしまった! 何と単純なことかと自分でも呆れてしまったが。八幡霊園で感謝の題目三唱を繰り返しながら、『自然死への歩み①』で展開した「父・誠也（まこととなり）の波瀾万丈の人生のおかげで今の自分がある」と思ったりした。帰りは登利亭で「鳥めし弁当」を買い、再び上里ＳＡで「水沢うどん」と「信州八割蕎麦」を買ってきた。

午後4時半に帰宅。ＴＶニュースで群馬県・伊勢崎市、桐生市で40・5度の最高気温であったことを知った。加えて、大谷選手がアスレティックス戦で4号2ランを打って9－9の同点に追いつき、トラウトのこの試合2本目のホームランが出て10－9でA軍が勝利したことを知り、「何て日だ！」と叫びたい気持ちであった。疲れがどっと出て、知らないうちに仮眠から本眠になってしまったようだ。

2020年8月15日(土)

75回目の「終戦の日」である。猛暑の中、武道館で天皇・皇后両陛下ご列席のもと「全国戦没者追悼式典」が行われた。太平洋戦争を実体験として語れる人が次第に減少しているので、青少年たちがそうした〝語り部〟を取材している模様を放映する番組が多い。記憶の継承は重要であるが、どうしても時の経過とともに薄れていってしまうだろう。その点、戦争の実録アーカイブスは胸に迫るものがある。昨日ＢＳ1スペシャルで「独裁者ヒ

トラー　演説の魔力」が放映された。ムッソリーニやスターリンも独裁者という立場で登場し、大衆を前にした演説がいかに扇動的であったかを印象づけるものであった。内容はともかく、実写フイルムやその時代を生きた人たちへの取材をもとに構成されていたので、「自分がその場にいたら、どう行動するだろうか」と思考実験を促すのに十分なものであった。わが国の一連の開戦から終戦、そして占領下から現在に至るまでの映像もアーカイブスにあるだろうから、じっくり見てみよう。

文芸社から審査結果が届き、「第3回人生十人十色大賞」へ応募した『自然死への歩み①』が「選外」であったとの通知だった。来週あたり講評を問い合わせてみようと考えているが、かなりショックを受けた。わたしは思い込みが激しく、応募した時点で入選を考えていた。それなりの根拠はあるのだが、ほかの人からすれば〝独り相撲〟と映るのかもしれない。気を取り直して、あくまでも出版が目的なので、そちらへ精力を傾けていこう。いま書き込んでいる『自然死への歩み②』も250枚に近づいているので、2冊同時刊行を考え始めた。文芸社より『ミトコンドリアはミドリがお好き!』でお世話になった東京図書出版の方がよいかもしれない。表紙の写真にはわが家の家宝である〝王女像〟を絶対に使おうと考えている。その美しさに魅入られて本を購入する人が増えるに違いないと、「捕らぬ狸の皮算用」を当て込んでいる。

自転車が当たったこと、今回の「選外」結果、「人間万事塞翁が馬」を考えると次は宝くじが当たるのだろう？　コロナ禍に猛暑が加わり、持ち前の誇大妄想狂が発症しているのかもしれない。

2020年8月20日(木)

連日の猛暑日である。最高気温が35度を超えるところが多く、コロナ禍に加えて熱中症対策である。こまめに水分補給をしながら、打者に専念している大谷選手の活躍に涼を求めようとしているが、4号ツーラン以来快音が聞かれないのでストレス源になっている。しかし、こういう時こそ真のファンとして題目を送り続けたいと思う。

コロナ禍の方は、陽性率から考えるとほぼ横ばいなので収束へ向かうのではないかとわたしは予想している。マスコミは依然として「感染拡大」路線で報じている。驚いたことに、現在開催されている日本感染症学会の学術講演で、舘田一博理事長は「〝第2波〟のまっただ中にいる」と述べたそうである。専門家中の専門家が何をもってそう宣言したのか全く理解できない。たぶん単に第1波のときの感染者数を超えていることを根拠にしているのだろうが、それが明確でない。ここで東京都の直近のデータを含むグラフを再掲しておく。

確かに4月上旬をPCR陽性者数（棒グラフ）のピークとする第1波のときと比べて、8月上旬のピークは3倍ほどになっている。しかし、陽性率（折れ線グラフ）の方は逆に低い値を示していて、とても感染拡大が進んでいるとは考えられない。PCR検査数が増加した結果、感染者数も増加したといえるだけである。こうした分析結果を知らないで、プロ中のプロが「第2波」と宣言するわけはない。都合のよいデータと分析結果だけを用いているとすれば、どこかのTV局のコメンテーター同様、単なる扇動家に過ぎず、とても

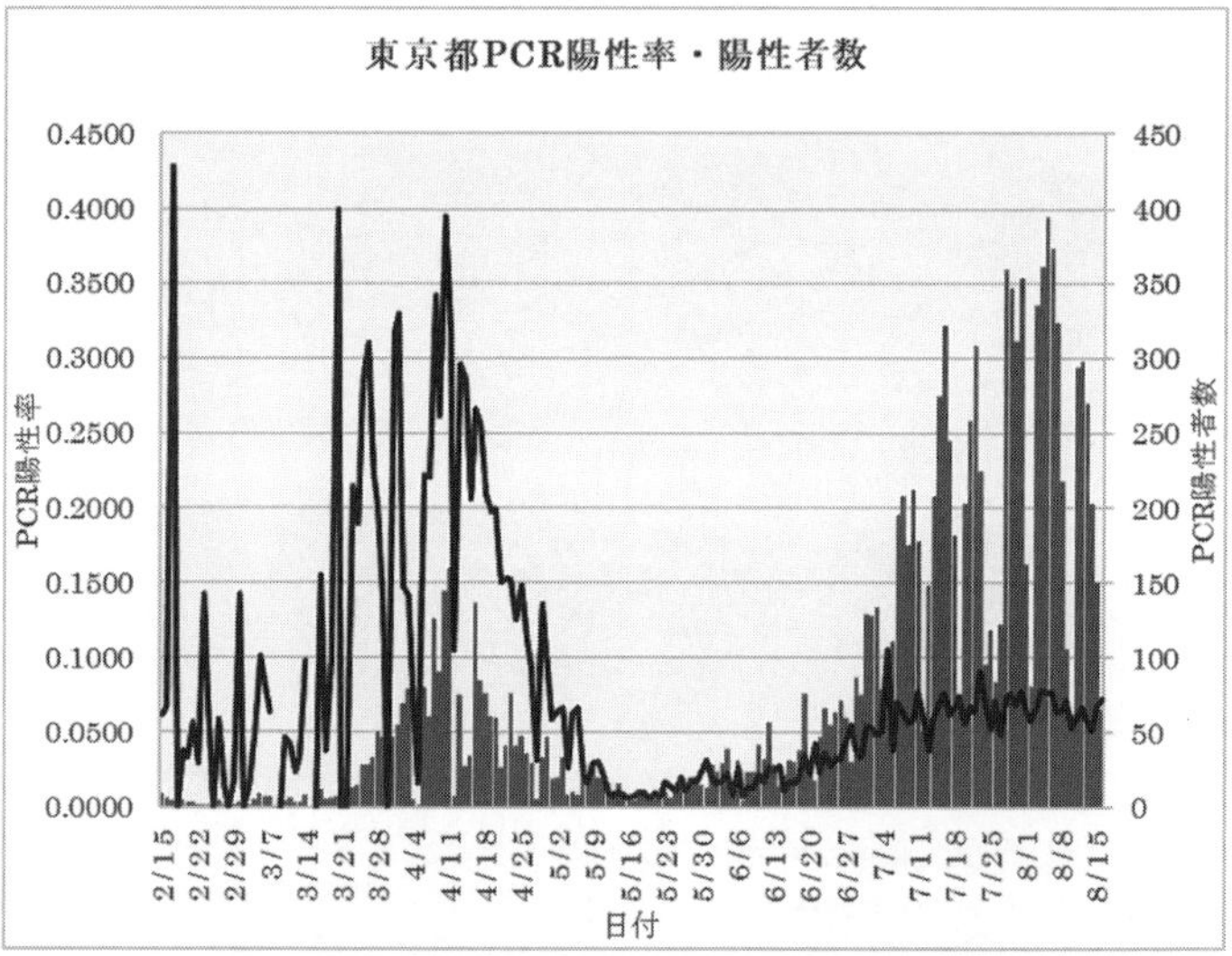

東京都のデータ（2/15〜8/15）をもとにしたPCR陽性率（折れ線グラフ）とPCR陽性者数（棒グラフ）の変化

科学者とはいえないだろう。

藤井聡太7段（棋聖）が福岡で行われた「王位戦・第4局」を制し、4連勝で王位奪取となった。2冠となったので規定により8段への昇段も決定した。2冠獲得、8段昇段ともに史上最年少での記録である。羽生善治・永世7冠の後継は〝魔王〟というニックネームをもつ渡辺明3冠（名人・王将・棋王）と目されていたが、このペースでいくと藤井時代の到来の方が早いのではないかと予想される。AIで学びつつ、すでにAIを凌駕するものをつかんでいるのかもしれない。現時点で8冠のタイトルホルダーが以下のようになった。

豊島将之　竜王
渡辺　明　名人・王将・棋王
永瀬拓矢　叡王・王座
藤井聡太　棋聖・王位

2020年8月24日(月)

本日は創価学会第3代会長・池田先生の入信記念日である。第2代会長・戸田先生と出会って10日後の1947（昭和22）年8月24日に入信された。『聖教新聞』によれば、「稀有の師匠との出会いによって、わたしの人生は変わり、未来を大きく開いていただいた」とある。そのくだりが『人間革命・第2巻』の「地湧」の章に展開されているので、およそ50年ぶりに再読した。

蒲田方面の座談会場で戸田先生が『立正安国論』の講義を担当されていた。友人によって池田先生は連れ出されたのである。講義が一段落した後で質問会が行われ、そのあとに池田先生が紹介されたのである。

――戸田はニッコリ笑った。まるで、友人の息子にでも話しかけるような口調である。「山本君（＝池田先生）は、いくつになったね？」戸田は「いくつだ」とは訊かなかった。「いくつになったね」と訊いたのである。初対面であったが、旧知に対しての言葉であった。「19歳です」「そうか、もうすぐ20歳だね……」

——「先生、正しい人生とは、いったい、どういう人生をいうのでしょうか。考えれば、考えるほど、わからなくなるのです」……「さあ、これは難問中の難問だな」……「この質問に正しく答えられる人は、いまの時代には一人もいないと思う。しかし、僕には答えることができる。なぜならば、僕は福運あって、日蓮大聖人の仏法の大生命哲学を、いささかでも、身で読むことができたからです」

——「もう一つお願いします。ほんとうの愛国者というのは、どういう人をいいますか？」……「これは簡単だ。楠木正成も愛国者でしょう。吉田松陰も愛国者でしょう。……愛国者という概念は、時代によって変わってしまう。……時代を超越した、真の愛国者があるとするならば、それは、この妙法の信者という結論になります。その理由は、妙法の信者こそが、一人の尊い人間を永遠に救いきり、さらに、いまの不幸な国家を救う源泉となり、崩れない真の幸福社会を築く基礎となるからです。……それまで、多くの人は信じないかもしれない。現出してきた姿をみて、はじめてあっと驚くのです。それだけの力が、大聖人の仏法、南無妙法蓮華経には、たしかにあるのです」

——「その南無妙法蓮華経というのは、どういうことなんでしょうか」……「一言にしていえば、一切の諸の法則の根本です。宇宙はもちろん、人間や草木にいたるまでの、一切の宇宙現象は、みな南無妙法蓮華経の活動なのです。だから、あらゆる人間の宿命さえも、転換しうる力を備えている」

――戸田は、一人の青年に対して、なんのハンディキャップもつけずに、一対一で話していた。ざっくばらんな話しかたのなかにも、暖かい人間性を感じさせるものがあった。伸一は、それを直覚し、仏法の話はわからなかったが、戸田城聖という誠実な人物に、心で好感を抱いた。

――「先生、ありがとうございました。中国の礼記に『同感できても、もう一度考えるがいい。同感できなくても、もう一度考えるがいい』という俚諺がありますが、先生が、青年らしく勉強し、実践してごらんと、おっしゃったことを信じて、先生について、勉強させていただきます。いま、感謝の微意を詩に託して、所懐とさせていただきたいと思います。下手な、即興詩ですが」

――伸一は、軽く目を閉じ、朗々と誦し始めた。

旅人よ　いずこより来り　いずこへ往かんとするか
月は沈みぬ　日　いまだ昇らず
夜明け前の混沌に　光　もとめて　われ　進みゆく
心の　暗雲をはらわんと　嵐に動かぬ大樹を求めて
われ　地より湧き出でんとするか

——戸田は、この詩の最後の一行を聞いた時、にこやかになっていた。山本は、仏法の「地涌の菩薩」という言葉など、知るはずもなかった。ただ、最後の一行は、戦後の焼け野原の大地のなかから、時が来ると、雄々しく、たくましく、名も知れぬ草木が生いしげり、緑の葉が萌えるのを見て、その生命力と大自然の不思議さを、なんとなく心に感じ、胸に抱いていたのをうたったのであった。

本当はすべてを引用したかったが、それではあまりにも長くなるので、池田先生と戸田先生との質疑に関する部分を抽出させていただいた。最初の出会いで、このような質問、それに対する回答がなされたと思うと驚かざるを得ない。そして、最後の即興詩の朗詠である。「われ地より湧き出でんとするか」の決意とも受け取れる一節は、獄中において「虚空会の儀式」に「地涌の菩薩」の一人として参列した戸田先生の胸奥に響き、師弟不二の同志を知ったことで戸田先生は「にこやかになっていた」のではないかと、わたしは推察する。

その後、池田先生はおよそ10年間、戸田先生のもとで薫陶を受けた。1951(昭和26)年5月3日、戸田先生は第2代会長に就任し、願業として「75万世帯の弘教」を宣言した。それを1957(昭和32)年12月13日に達成できたのも池田先生の実践力によるものであったに違いない。戸田先生が亡くなる約3カ月前のことであった。池田・第3代会長の時代に創価学会は大発展し、700万世帯を超える世界的な大教団(SGI:Soka Gakkai International)となった。その「源遠長流」が二人の出会いにあったとは想像するに難くない。

2020年8月27日(木)

猛暑日が続いている。コロナ禍のもと熱中症にも注意しなくてはならない。ほかの地域は集中豪雨や雷雨があるのだが、ここ瑞穂町にはそれさえない。夕立がないので、鬱陶しい暑さの中で体調管理が思うに任せない。両脚痛がひどくなっていて、加えて食欲不振、倦怠感、睡眠不足が続いているので、ハリアーで長距離旅行にでも出かけたい気分である。しかし、天気予報を見るたびに北海道や東北も猛暑日なので、結局、自宅で時代劇TV鑑賞である。

首相在任期間「歴代1位」となった安倍総理が慶應大学病院へ通院しているとのことで、「健康不安説」や「退陣説」が出始めている。コロナ禍への対策で休みも取れず、自民党議員の贈収賄事件や選挙違反に関する裁判も始まっているので、ストレスフルな毎日を送っているに違いない。わたしの予想ではPCR検査もやっているだろうから、近々「陽性」の判定が出るかもしれない。もしそうだとすると、国会が新たなクラスター発生の場になり、笑っていられない状況になるだろう。それこそわが国の経済状況や医療体制に多大な影響を及ぼすから、そうならないことを祈り続けたい。

2020年8月28日㈮

午後5時から安倍総理の記者会見があるとのことで、TV各局が注目していた。一部に情報は漏れていたようであるが、健康状態がよくなくコロナ禍における指揮を執れないという「辞意表明」であった。持病とも受け取れる「潰瘍性大腸炎」が再発しているそうで、精密検査や長期にわたる治療を要するとのことだった。ここ1年間悩ましい問題が相次ぎ、スッキリと説明責任を果たせなかったところから、かなりのストレスを受けていたのではないかと想像する。首相在任期間は歴代1位になったのだから、当面は治療に専念していただきたい。「ご苦労さま」でした。

こうなると、次の総理をめぐる問題がクローズアップされ、政治評論家なる集団がしばらくもてはやされる感じである。早々と麻生副総理は辞退しているそうで、石破議員・岸田議員・野田議員・菅議員などの名前があがっている。わたしは理論派の石破氏の見識を評価してきたが、どうも彼のもとでは共感の輪が広がらないらしい。逆に、長年官房長官を務めて信頼を集めてきた菅氏が注目されている。コロナ禍や東京オリンピック問題を抱えてリーダーシップが取れるかという懸念があるが。

2020年8月31日(月)

新型コロナの新規感染者数は減少しているようで、どうやら収束へ向かいそうである。TV局によってコロナ禍に対する「不安ストレス」の扇動が行われてきただけに、TV放送の焦点がコロナ禍から安倍総理の後継者問題へ移ることは、不安ストレスを減少させる意味でわたしはよいことだと判断している。このまま収束へ向かえば、西村担当大臣に提言したことは誤謬ではなかったと評価されるだろう。

昨日、菅官房長官が総裁選への出馬を決断したと新聞各紙が一面で報じている。先手を打たれた石破氏や岸田氏は後手を引いてしまって、多数派工作をしているものの、出ばなをくじかれたようである。しかし、アメリカの大統領選挙のように、候補者のビジョンやマニフェストを戦わせてほしいものである。

ここまでで第2巻終了である。1年1巻のつもりが、1年2巻のペースである。それだけ記すべき出来事が多かったということである。コロナ禍の推移、自民党総裁選の結果、日本経済の行方、東京オリンピック・パラリンピック問題などは、9月1日からの第3巻に記載していきたい。およそ1年間にわたるわたし自身の『自然死への歩み』は書き始めの頃とほとんど変わっていない。新型コロナに感染することもなく、熱中症にもなっていない。両脚痛は相変わらずの状態であるが、歩行を妨げるものでもない。油断することなく、現状維持ではなく、感動・感謝の一念で「Well-being（よい状態）」を高めていきたい。

（『自然死への歩み②』終了）

謝　辞

今回、この著作『自然死への歩み②――コロナ禍での生き方』に出版の機会を与えてくださった東京図書出版に深謝いたします。とくに編集室の皆さまには校正などで大変にお世話になりました。心より感謝申し上げます。

ライフワークに決めた『自然死への歩み』には、わたしの独断と偏見が満ちているかもしれません。そうした点に対し、読者の皆さまからご批判やご意見をいただけましたら望外の喜びであり、次の著述作業への大きな活力になるに違いありません。今後ともどうぞよろしくお願いいたします。

令和3年1月

木暮信一

木暮　信一（こぐれ　しんいち）

1950年　群馬県生まれ
1969年　群馬県立高崎高校卒業
1973年　群馬大学工学部電子工学科卒業
1975年　群馬大学大学院工学研究科修了、工学修士
1979年　群馬大学大学院医学研究科修了、医学博士
同　年　日本医科大学・助手
1984年　日本医科大学・講師
1989年　創価大学生命科学研究所・助教授
　　　　㈶東洋哲学研究所・研究員（2010年まで）
1991年　創価大学工学部・助教授
1994年－1995年　ブリティッシュ・コロンビア大学神経学研究所・客員研究員
1997年「てんかん治療研究振興財団・研究褒賞」受賞
2002年　創価大学工学部・教授（大学院教授・兼担）
2009年「国際レーザー治療学会・The Best Speech Award」受賞
2019年　創価大学・名誉教授、現在に至る

日本医科大学および創価大学在職期間は神経生理学・てんかん学・レーザー医学・ニューロフォトニクスなどの分野の専門研究を行ってきた。東洋哲学研究所在職中はおもに生命倫理問題を研究してきた。単著として『わたしの夏季大学講座 ── 創発的健康観のすすめ』（2000年、第三文明社）や『ミトコンドリアはミドリがお好き！ ── 究極のヒューマン・パワー・プラント』（2015年、東京図書出版）がある。そのほか「てんかん学」「レーザー治療学」「生命倫理学」に関する論文・共著が多数ある

自然死への歩み②

コロナ禍での生き方

2021年2月28日　初版第1刷発行

著　　者　木暮信一
発 行 者　中田典昭
発 行 所　東京図書出版
発行発売　株式会社 リフレ出版
〒113-0021　東京都文京区本駒込 3-10-4
電話 (03)3823-9171　FAX 0120-41-8080
印　　刷　株式会社 ブレイン

ISBN978-4-86641-385-3 C0095
Printed in Japan 2021